岩 波 文 庫

32-311-5

# ハックルベリー・フィンの冒険

(上)

マーク・トウェイン作
西 田 実訳

岩 波 書 店

# ADVENTURES OF HUCKLEBERRY FINN

1885

Mark Twain

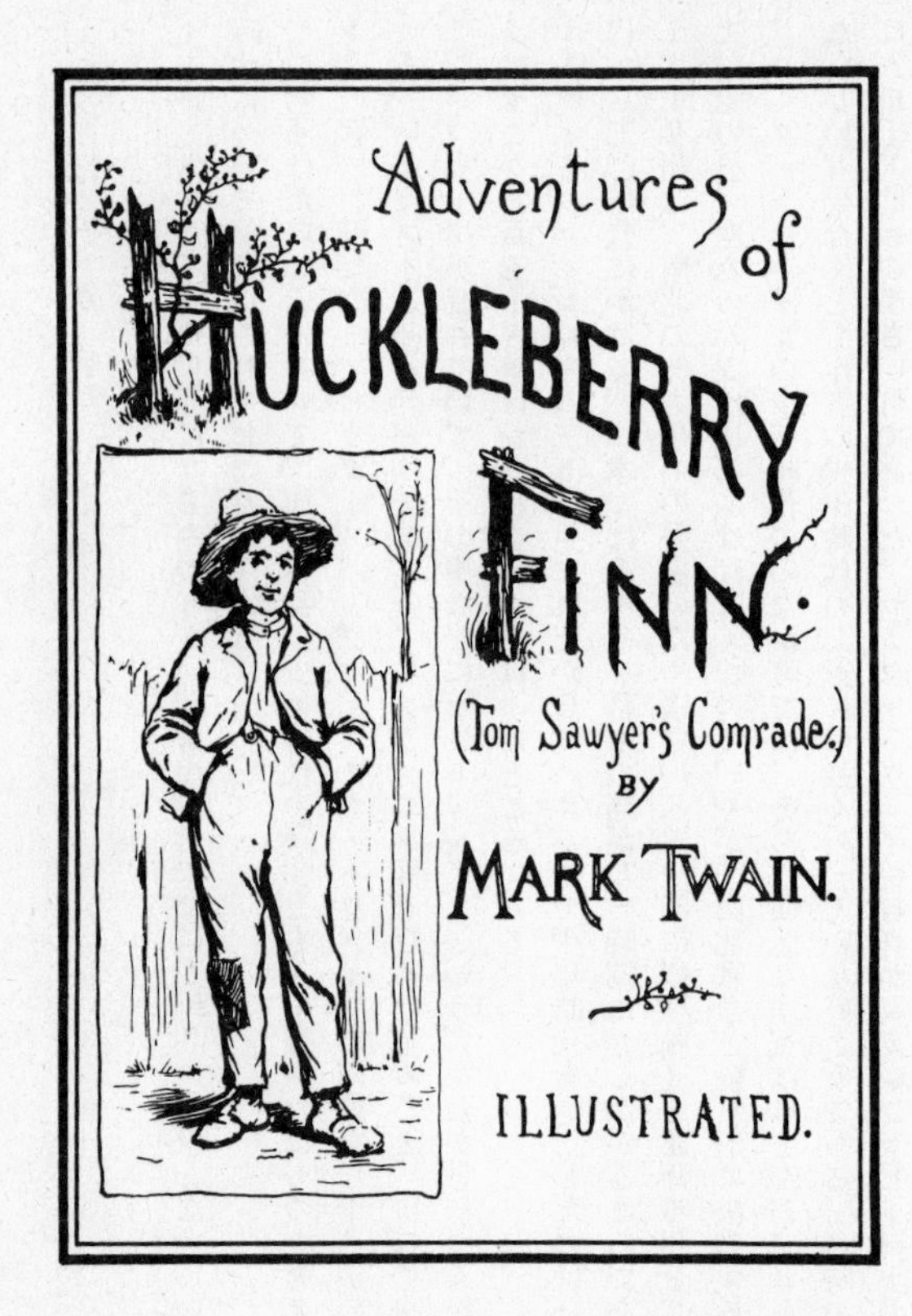
Adventures of
HUCKLEBERRY FINN.
(Tom Sawyer's Comrade.)
BY
MARK TWAIN.
ILLUSTRATED.

# はしがき

マーク・トウェインの世界になじみのうすい読者の参考までに、作品の背景となっている土地や時代について簡単にふれておこう。

この物語はだいたいにおいて、作者自身の少年時代の経験をもとに書かれたものと考えられる。ハックの育った町セント・ピーターズバーグは、マーク・トウェインが四歳から十八歳のころまで住んでいたミズーリ州ハニバルであろう。アメリカの地図をひろげてみると、ほぼ中央を南北にミシシッピー川が流れていて、その中ほどにセント・ルイスという大都会が目につくが、ハニバルはそこから百五十キロばかり川をさかのぼったところにある。

マーク・トウェインは一八三五年生まれだから、ハニバルで少年時代を過ごしたのは一八四〇年代から五〇年代にかけて、日本ではそろそろ幕末の騒がしい時期にさしかかるころである。

ミズーリ州は、南北の勢力争いの妥協のために、一八二一年に奴隷制度を認める州として誕生した。その後、南北の対立は次第にはげしくなって、やがて南北戦争という形で決裂する。しかし、マーク・トウェインの少年時代のいなか町では、そんな険悪な空気はほとんど感じられなかったらしい。少なくとも作者の少年時代の記憶には強く残っていないようである。当時のハニバルは人口千人前後の小さい町であった。マーク・トウェイン自身が『ミシシッピー河上の生活』

の中で書いている文章を引用すれば、「……真白な町が、夏の朝の日射しをあびて、うっとりとまどろんでいる。往来にはほとんど人気がない。ウォーター通りの店先では、店番の男が一人か二人、……帽子を顔の上までずらしてかぶり、居眠りをやっている。……波止場の端のところに、木製の平底船が二、三艘つないであって、それに小波が打ち寄せるのだが、そののどかな波の音に耳を傾ける者は一人としていない。偉大なミシシッピー河、堂々とした王者のようなミシシッピー河は、日の光に照り輝き、河幅一マイルの流れを大きくうねらせながら、悠々と流れ下って行く」(西川正身『アメリカ文学覚え書』研究社の「マーク・トウェインの故郷」参照)

作者はさらに続けて、その眠ったような町が、ミシシッピー川に蒸汽船が姿を見せたときだけは急に目がさめて、家という家、店という店から人の波が波止場めがけて押しよせ、近づいてきた二本マストの外輪船にじっと目をそそぐ様子を面白く描写している。そして、その蒸汽船が去ったあとは、ふたたび町はもとの眠りに沈みこむと書いている。しかし、おそらくこれは、年をとってから故郷を再訪した作者のノスタルジアに浮かんだイメージであって、現実のその当時の町や村は、いつものんびりと眠りこけていたわけではなくて、血なまぐさい事件がめずらしくない西部の開拓地であったにちがいない。それは、ハックとジムが川を下りながら、途中の町や村で経験する冒険のかずかずからも容易に想像できる。

それはともかく、当時の生活についてもっと詳しく知るには、マーク・トウェインの『自伝』を読むのがいちばんよい。作者の少年時代の生活環境について詳しく知ることができるばかりでなく、この物語の登場人物のモデルについてもいろいろ面白いことを知ることができる。ハックのモデルはトム・ブランケンシップという少年だった。「彼は無知な少年で、風呂に入ったことがなければ、腹いっぱい食事をしたこともなかったが、誰よりもすばらしい心を持っていた。彼は何ものにもとらわれぬ自由な生活をしており、その自由はまったく制約を受けないものだった。……その結果、彼は幸福な生活を毎日誰にもわずらわされずに送っており、われわれ残りの者は羨望の眼で彼を眺めていた」(渡辺利雄訳『マーク・トウェイン自伝』研究社) ここに、いわばこの作品の「哲学」が要約されているとさえ言ってよいであろう。

ハックの相棒である黒人のジムは、マーク・トウェインが少年のころよく遊びに行った叔父の農場にいた一人の奴隷をモデルにしているらしい。その農場には奴隷が十五人から二十人ほどいたが、自伝によれば、「黒人たちはみなわれわれの友人であり、同じ年ごろの黒人の少年は、事実上、われわれの仲間だった。いま事実上という制限の言葉を使ったが、それは、われわれが仲間であると同時に仲間でなかったからである。皮膚の色と社会的地位によってわれわれ白人の少年と黒人少年のあいだには微妙な一線が引かれており、双方ともそれを意識していて完全に融けあうことはどうしても不可能だったからだ。われわれは忠実で愛情深い親友、味方、指導者として、中年の奴隷「アンクル・ダンル」を尊敬していた。彼は黒人としては最高の頭脳の持ち主であり、ひろい、あたたかい同情心と、実直で、素朴で、しかも悪賢いところのない心で知られていた。……私が黒人たちに強い愛情を感じるようになり、彼らのすぐれた性格を正しく理解するようになったのは、この叔父の農場においてであったと思う。私の黒人たちに対するこうした感情と尊敬は、六〇年以上にわたる時の試煉に耐え、そのあいだにいささかも損われることはなかった。私は、少年時代と同様、現在も黒人との交際を心から歓迎している」(渡辺訳、前掲書)

もちろん、マーク・トウェインもハックと同様に、奴隷制度を是認する南部の白人の一人であって、単なる温情主義でその矛盾を解決することはできないが、自伝のほかの箇所でくりかえし述べているように、ほとんどの人が奴隷制度を人道にもとるものとは考えていなかった当時の南部の事情を考慮してやらなければならない。それよりは、逃亡奴隷を見逃したり助けたりすることのほうが大きい罪と考えられていた。逃亡奴隷の取扱いをめぐる紛争が南北戦争の大きな原因の一つになったような時代であった。それを考えると、この物語でハックがジムの逃亡を助けながら筏(いかだ)の旅を続けるという行為は、当時としてはたいへんなことである。ハックがその問題についていつも心を悩ませているのも無理はない。と同時に、その問題が充分に解決しないままで作品が終わっているのは、不徹底とはいいながら、やはり止むをえない面があったのかもしれない。

なお訳文の中で使用した「黒んぼ」の原語ニガー(nigger)はそうした黒人奴隷たちの呼称として用いられていた。南北戦争ののち、奴隷解放令によってこの様な蔑称も公用語からは追放されたとはいうものの、この物語の時代背景を考慮して、あえて「黒んぼ」と訳出した。

話がかたくるしくなってしまったが、作者は物語のはじめに「この物語に主題を見出さんとする者は告訴さるべし。そこに教訓を見出さんとする者は追放さるべし」と注意しているのであるから、これ以上のむつかしいせんさくはやめにして、物語そのものを楽しむことにしよう。

テキストには一八八五年のアメリカの初版を用い、明らかにミスプリと思われる所だけ他の版を参照して訂正した。さし絵も同じ版から選んだものである。

一九七七年七月

訳　者

# 目次

（トム・ソーヤーの仲間）

# ハックルベリー・フィンの冒険（上）

場面　ミシシッピー川流域

時代　四、五十年以前

## 警告

この物語に主題を見出さんとする者は告訴さるべし。そこに教訓を見出さんとする者は追放さるべし。そこに筋書を見出さんとする者は射殺さるべし。

著者の命によりて
兵器部長G・G

# 解説

本書には数種の方言が用いられている。すなわち、ミズーリ州の黒人方言、南西地方奥地の極端な方言、普通の「パイク郡」方言および、それから派生した四種の方言などである。その使い分けは、でたらめや憶測によってなされたものではなく、以上の各種方言と親しく接した経験による確かな知識をもとにして、苦心して行なわれたものである。

このような解説を記した理由は、さもないと多くの読者が、本書の登場人物はすべて、同じ言葉で話そうとして、うまくゆかなかったものと、誤解されてはこまると思ったからである。

作者

# 第一章

おらのことは、『トム・ソーヤーの冒険』ていう本を読んだ人でなければ、だれも知るめえが、そんなことはかまわねえ。その本はマーク・トウェーンさんが書いたもんで、あらましは本当のことが書いてある。少しはうそっぱちもあるが、あらましは本当だ。でも、どうってほどのことじゃねえ。だれだって、いつかしら、うそをついたことのねえ人間なんて、見たことがねえもん。ポリーおばさんや後家のおばさん、それにメアリーなんかはべつだがな。ポリーおばさんてのは、トムのおばさんのこったが、それにメアリーと、後家のダグラスおばさんのこたあ、みんなその本の中に書いてある。だいたいは本当の話だ。さっきも言ったように、少しはうそっぱちもあるけんどな。

で、その本のおしめえはこうなってる。トムとおらは、どろぼうたちがほら穴にかくした金を見つけて、それで金持ちになった。おらたちは、六千ドルずつ手に入れた。金貨ばっかしだぜ。積み上げると、すげえ大きな金の山になった。そいつを、サッチャー判事さんがひきとって、利子があがるように貸したんで、おらたちは、毎日一ドルずつ、一年じゅう金がはいることになった。そんなに金がはいったって、どうしていいかわかりゃしねえや。後家のダグラスおばさんは、おらを養子にして、教育してやるべえと考えた。ところが、このおばさんときたら、何をやるにも、えらくきちんとまじめにやるもんで、しょっちゅう家ん中にいると、肩がこってやりきれねえ。そんで、とうとうがまんできなくなって、とびだしちまった。またもとのぼろ服を着て、砂糖だるの古巣へもぐりこんだら、やれやれと気が落ち着いた。ところが、トム・ソーヤーのやつが、おらをさがし出して、これから盗賊の一味を集めるんだが、おらが、おばさんのところへ戻って、おとなしくするんなら入れてやると言うんだ。仕方ねえから戻ったよ。

おばさんは、おらを見ると涙を流して、やれ迷える小羊だの、なんだかんだと悪たれ口をきいたが、べつにわる気があって言ったわけじゃねえ。おらはまた新しい着物をきせられて、からだじゅうが窮屈で、やたらに汗ばっかりかいた。やれやれ、またもとの通りに逆もどりだ。晩めしになって、おばさんが鐘を鳴らしたら、すぐにいかなきゃなんねえ。テーブルんとこへ来ても、すぐに食いはじめちゃいけねえんで、おばさんが食いもののことをなんだかブツブツ言ってるあいだ待ってなきゃなんねえ。べつに変なとこは、どこもねえのに。変だといえば、食いものがみんなべつべつに作ってあるくれえのもんだ。これとちがって、おけの中へなんでもかんでもぶちこんでやると、食いものがよくまざって、だしがきいたみてえになるから、味のいいのができるんだ。

晩めしが終わると、おばさんは本をひっぱり出して、モーゼと「葦」のことを教えてくれた（旧約聖書「出エジプト記」第二章にある話。モーゼの母は葦で編んだかごに赤子のモーゼを入れてかくし、迫害をのがれた）。おらは、その人のことをもっといろいろ知りたくてたまんなくなった。ところがそのうちにおばさんは、モーゼって人はとっくの昔に死んじまったって言うんだ。そんでおらは、その人のことはもうどうでもよくなっちまった。だって、死んだ人の話なんかちっとも面白くねえもんな。

そのうちに、おらはタバコが吸いたくなったんで、おばさんに吸わしてくれって頼んだ。ところが、許してくれねえ。それは不良のやることで、不潔だから、これからもう吸っちゃいけねえって言うんだ。それがこの連中のおきまりの言い草で、自分がまるで知らねえこととなると、かならずけちをつける。おばさんときたら、モーゼなんて、縁もゆかりもねえ上に、もう死んじまって、なんの役にもたたねえやつの世話をやいておきながら、ちっとは役にたつタバコを吸ったからって、おらのことはぼろくそにけなすんだ。そのくせ、おばさん、嗅ぎタバコはやるんだぜ。だけど、それは自分でやるんだから、ちっともかまわねえってわけよ。

ちょうどそのころ、おばさんとこに住んでいた、おばさんの姉でミス・ワトソンていう、すごくやせて、めがねをかけたオールドミスが、習字帳でもっておらをいじめにかかった。はじめ一時間ばかり、うんとしぼり上げられたところで、おばさんが助け舟を出して、ひと息つけさせてくれた。おらは、それ以上は保たねえところだった。それから一時間はえらく退屈で、からだがモゾモゾしはじめた。するとミス・ワトソンばあさんは、「足をそこへ上げてはいけません、ハックルベリー」とか、「そんなにちぢこまらないで、背中をしゃんとしなさい、ハックルベリー」とか、そのうちに、「そんなにあくびや背のびをしちゃいけません、ハックルベリー。どうしておとなしくしないの」なんて言うんだ。それからばあさんは、「悪い所」(地獄のこと)のことをいろいろ話してくれたんで、おらはそこへいきたいって言ったら、ばあさんカンカンに怒ったけど、おらはべつにわる気で言ったわけじゃねえ。おらはただ、どこかよそへいきたかっただけだ。あきたから場所を変えたかっただけで、どこだってよかったんだ。ばあさんは、おらの言ったことは罰あたりで、あたしはそんなことはぜったいに口にしないで、「良い所」(天国のこと)へいけるような行ないをするつもりだとさ。ところがおらは、ばあさんのいくところへいったって、なんの得にもなりそうもねえから、ごめんこうむることにきめた。だけど、それは口には出さねえ。だって、そんなこと言ったら、またゴタゴタするばっかりで、ろくなことにはなんねえからな。

ばあさんが始めた良い所の話は、まだまだ続いて、いろんなことを教えてくれた。そこへいったやつは、いちんちじゅう何もしねえで、ただハープを持って歩きまわって、いつまでもいつまでも、歌ばっかり歌ってりゃいいんだとさ。おらは、くだらねえと思った。だけど、そんなこと口には出さねえ。ばあさんに、トム・ソーヤーもそこへいくだろうかってきいてみたら、とんでもねえことだとよ。おらはトムといっしょにいてえと思っていたんで、それを聞いてほっとした。

ミス・ワトソンは、おらをいじめてばっかりいるんで、おらはうんざりして、さびしくなってきた。そのうちに、黒んぼたちも帰ってきて、お祈りがすむと、やがてみんな寝ちまった。おらもろうそくを持って、自分の部屋へいって、ろうそくをテーブルの上においた。それから窓のそばのいすにすわって、何か楽しいことを考えようとしたが、どうしてもだめだった。さびしくてさびしくて、死にてえくらいだった。空には星が光って、森では木の葉がザワザワと、いやに悲しそうな音をたてていた。ずっと遠くでフクロウが、だれか死んだ人のことをホウホウと鳴いていたり、ヨタカや犬が、死にかけている人のことを泣いている声が聞こえた。風も、小声で何かおらに話そうとしてるようだったが、何を言ってるのかよく聞きとれねえで、からだじゅうにゾーッと寒気がした。こんどは、ずっと向こうの森の中で、何か気にかかることを言いたい幽霊が、うまくそれを言えねえので、墓の中にじっとしていられずに、毎晩そうして泣きながらうろつきまわるときに出すみてえな音が聞こえた。おらは、すごく気がめいって、おっかなくなったんで、だれかそばにいてくれればと思った。そのとたんに、一匹のクモがおらの肩をはい上がってきた。それでパッとはじきとばしたら、ろうそくの火にとびこんで、あっという間もなく、焦げて小さくなっちまった。これはすごく縁起の悪いことで、あとで何かいやな目にあうくらいのことは、人に言われなくてもわかっていた。それで、おらはこわくなって、着てるものを脱ぎすてちまおうかと思ったくれえだ。おらは立ち上がって、その場で三べんぐるぐるまわって、そのたんびに胸で十字を切った。それから、魔よけのしるしに、髪の毛をちょっとつまんで糸でしばった。でも、これでいいかどうかわからなかった。馬蹄をひろったのに、戸口にくぎで打ちつけておかないで、なくしちまったときは、このまじないをやるんだが、クモを殺したときの縁起直しにも、このまじないが役に立つっていう話は、まだ聞いたことがねえ。

おらは、ガタガタふるえたまんま、また腰をおろして、一服やろうと思ってパイプを取り出した。そのときは、家じゅうが死んだみてえに静かになっていて、後家さんも気がつくめえと思ったからだ。それからだいぶ時間がたって、ずっと遠くの町の時計が、ボン、ボン、ボンと、十二回打つのが聞こえて、そのあとはまたしーんとして、ものすごく静かになった。そのとたんに、向こうの暗闇の木の中で、パチンと枝の折れる音がして、何かゴソゴソ動いていた。おらはじっとして耳をすました。まもなく、そっちのほうで、「ニャー、ニャー」という声がかすかに聞こえた。いいぞ！　おらも「ニャー、ニャー」とできるだけ低い声で鳴いて、それから明かりを消して、窓からはい出して物置の屋根の上へ出た。それから地面へすべり下りると、林の中へもぐりこんだ。思った通り、トム・ソーヤーが、おらを待っていた。

# 第二章

おらたちは、木の枝で頭をこすらねえように、からだをかがめながら、ぬき足さし足で森の中の小道づたいに、後家さんの庭のさかいまで歩いていった。台所のそばを通りぬけるとき、おらは木の根にけつまずいて、音をたてた。おらたちは、ちぢこまって、じっとしていた。ミス・ワトソンとこの、でっかい黒んぼでジムっていうのが、台所の戸口にすわっていたが、明かりを背にしているんで、その姿がはっきり見えた。ジムは立ち上がると、首をニュッとつき出して、しばらく耳をすましていた。それから、

「だれだ?」と言った。

やつは、まだしばらく聞き耳をたてていたが、そのうちに、足音を忍ばせて近づいてくると、おらたちのまん中で立ちどまった。手を出せばさわれるくらいのところだった。そうして、三人がすぐそばにならんだまま、何分も時間がたつあいだ音ひとつ聞こえなかった。おらの足首に一箇所、痒(かい)いところができたけど、かくこともできねえ。そのうちに耳がかいくなったと思うと、こんどは背中の、ちょうど両肩のまん中がかいくなった。そこをかかねえと死ぬんじゃねえかと思った。こういうことは、その後、なんどもよくあった。えらい人たちといっしょにいる時とか、

お葬式とか、眠くないのに眠ろうとしてる時とか、とにかく、かいちゃいけねえ場所にいる時は、ふしぎにからだじゅうがあちこち、やたらとかいくなるもんだ。やがてジムが言うには、

「こら、だれだ？　どこにいるだ？　たしかに何か聞こえただぞ。そうだ、いいことを考えた。ここへすわって、また何か聞こえるまで待っとすべえ」

そう言うと、やつは、おらとトムとのあいだの地面に腰をおろした。それから背中を木によせかけて、両足をぐっと伸ばしたんで、もう少しで片足がおらの足にさわるとこだった。おらは鼻がかいくなった。かいくてかいくて涙が出てきた。それでもかくわけにいかねえ。それから鼻の中がかいくなってきた。その次は鼻の下がかいくなった。おらは、じっとすわっていられるかどうか、わからなくなった。こんなつらい思いが六分か七分も続いたけれど、じっさいはそれよりずっと長いみてえな気がした。かいい所が十箇所の余にもふえちまって、もう一分もがまんできねえと思ったが、それでも歯をくいしばって、なんとかがまんしようとした。ちょうどそのとき、ジムの息づかいが荒くなったと思うと、こんどはいびきをかきはじめた。そいでおらも、すぐにまた気分がらくになった。

トムは、口をちょっと鳴らして、おらに合図をした。それでおらたちは、四つんばいになってそっと逃げた。三メートルばかり離れたところで、トムはおらに向かって小声で、ジムを木にしばりつけてやったら面白いだろうなんて言うんで、おらは、いけねえと言ってやった。だって、やつが目をさまして、騒ぎだしたら、おらのいねえことが分かっちまうもの。こんどはトムは、

ろうそくが足りねえから、台所へ忍びこんで、もっと取ってくるなんて言いだした。おらは、それもやめてもらいたかった。ジムが目をさまして戻ってくるかもしれねえ。それでもトムは、思いきってやると言うんで、二人で台所へ忍びこんで、ろうそくを三本取った。トムは、その代金に五セントをテーブルの上に置いた。それから家の外へ出て、おらは早く逃げだしたくてたまんねえのに、トムときたら、どうしても四つんばいでジムのところまではっていって、何かいたずらをしてやると言ってきかねえんだ。おらは待っていたが、どこを見てもしーんと静かでさびしくって、待つ間がすごく長く思われた。

トムが戻ってくるとすぐ、おらたちは、庭の垣根の外の小道をぐるっとまわって、まもなく、家の反対側にある急な坂をのぼって、丘のてっぺんにたどりついた。トムが言うには、ジムの帽子をそっと脱がして、頭の上の木の枝にかけてやったけれど、ジムはちょっとからだを動かしただけで、目はさまさなかったそうだ。あとになってからジムは、魔女が術をかけて乗りうつり、州のすみずみまで飛びまわったあげく、また木の下にどすんと落として、魔女のしわざだというしるしに、帽子を木の枝にかけておいたのだと言いふらした。次に同じ話をしたときは、ニューオーリンズまで飛んでいったことになり、その後は話をするたんびにますます尾ひれがついて、しまいには、世界じゅうを飛びまわらされたんで、くたくたに疲れて、背中いちめんに鞍ずれができたなんて話になった。ジムはそれがえらくご自慢で、ほかの黒んぼなんかまるで目にはいらないみたいに威張りだした。遠くのほうから大勢の黒んぼがジムの話を聞きにやってきて、ジムは、そこらじゅうのどの黒んぼよりえらいと思われるようになった。よそから来た黒んぼは、ぽかんと口をあけたままつっ立って、まるで見世物みたいにジムをじろじろ見つめた。台所のかまどのそばの暗がりでは、黒んぼたちがしょっちゅう魔女の話をしていたが、だれかひとり、そういうことは何でも知ってるみたいな話をしはじめると、かならずジムが現われて、「へっ！ 魔女のことなどてめえにわかるか」と言う。すると、さっきの黒んぼはギャフンとまいって、こそこそうしろへ引っこむってわけさ。ジムは、れいの五セント玉をひもにつるして、いつも首にぶらさげていた。そしてこれは、悪魔が手渡ししてくれたお守りだから、これさえあればだれの病気でもなおせるし、魔女を呼び出したいときは、ひとこと言えばいつでも呼び出せると言った。でも、なんて言えばいいか、ジムはけっして教えなかった。いたる所から黒んぼがやってきて、その五セント玉をひと目拝みたいばっかりに、なんでも持ってる物をジムにくれてやった。ただ、悪魔の手がかかった物だから、それにさわろうとはしなかった。ジムは、悪魔の姿を見たり、魔女を乗せて飛んだりしたというんですっかり生意気になって、仕事のほうではほとんど使いものにならなくなってしまった。

さて、トムとおらは、丘の上の端に立って村のほうを見渡すと、三つか四つ明かりがチラチラしているのが見えた。病人のいる家かもしれねえ。空には星がキラキラと、すごくきれえに光っていた。村の向こうには川が見えていて、たっぷり一キロ半の川幅で、いやにしんとして、すごいくらいだった。坂をおりていくと、むかしのなめし皮工場のあとに、ジョー・ハーパーとベン・

ロジャーズと、ほかに二、三人の仲間がかくれていた。

それでおらたちは、つないであった小舟のつなをはずして、四キロばかり川をこいで下ると、山の横の広い空地のところに舟をつけて、陸へ上がった。

低い木が茂っている所までくると、トムはみんなに秘密を守ることを誓わせて、木がいっぱい生えているその奥に、ほら穴が山のどてっ腹にあいているのを教えてくれた。それからおらたちは、ろうそくをつけて、四つんばいになってはっていった。二百メートルばかりいくと、穴が急に広くなった。トムは、通路のあちこちをつっつきさがしていたが、やがて、壁の下の、穴があるなんてだれにも気がつかない所へもぐりこんだ。狭い道をくぐりぬけると、いやにじっとりとしめって、ひんやりした、部屋みたいな場所に出てきて、そこでみんな立ちどまった。トムが言うには、

「さあ、これからトム・ソーヤーの一味という名の盗賊団を結成する。参加したい者はだれでも、宣誓をして

から、自分の血で署名するんだ」

みんな、参加したいと言った。するとトムは、宣誓の文句を書いた紙を取り出して読み上げた。その文句の中味は、団員は忠誠を守り、ぜったいに秘密をもらさないことで、もしだれかが団員のひとりに何かした場合には、その者とその家族を殺すように命じられた団員は、かならずその命令を実行しなければならなかった。全員を殺して、その胸に十字のしるしを刻むまでは、食べることも眠ることも許されなかった。その十字は盗賊団のしるしで、仲間以外の者がそのしるしを使うことは許されず、もし使った場合は訴えられ、それでもまだ使った場合は殺されなければならなかった。また、どの団員でも秘密をもらす者があれば、のどを切り、死体を焼いてその灰をまきちらし、名簿の名前は血で消して、ほかの団員は二度とその名を口にせず、呪(のろ)いをかけて、永久にそれを忘れてしまわなければならなかった。

ほんとにすばらしい宣誓だとみんなが言って、トムに、その文句は自分の頭で考えたのかとたずねた。トムは、少しは自分で考えたけど、あとは海賊の本や盗賊の本に書いてあった文句で、高級な盗賊団にはかならずあるんだと言った。

秘密をもらした団員の家族も殺したほうがいいだろうと、だれかが言った。トムは、それはいい考えだと言って、鉛筆をとって書き入れた。ところがベン・ロジャーズが、

「この、ハック・フィンにゃ、家族なんぞねえけんど——いってえ、どうするだ?」と言った。

「だって、おやじがいるじゃねえか」と、トム・ソーヤー。

「そりゃ、おやじはいるけど、このごろ、ぜんぜん見かけねえ。もとはよく酔っぱらって、皮工場でブタといっしょに寝ていたけど、もう一年以上もこの近所には姿を見せてねえよ」

みんなで相談したあげく、おらは除外されることになった。だって、団員はだれでも、家族か何か殺す者を持ってなきゃならねえのに、それがないのは、ほかの団員に対して不公平だっていうんだ。どうしていいか、だれにもわからねえで、みんな頭をかかえて黙りこんじまった。おらは、もう少しで泣きそうになっていたが、そのとき、ひょいと、いいことを思いついたんで、ミス・ワトソンじゃどうだ、あのばあさんなら殺してもいいぜ、と言った。すると、みんなが、

「うん、よし、よし。それがいいや。ハックを入れてやれ」と言った。

それからみんなで、署名する血を取るために、指にピンを突き刺して、おらも紙に自分のしるしをつけた。

「ところで、この一味の仕事はなんだい？」とベン・ロジャーズが言う。

「盗賊と殺人にきまってるじゃないか」とトム。

「盗賊って、だれの物を盗むんだ？　家とか、牛とか、それとも――」

「チェッ！　牛だのなんかを盗むのは盗賊じゃねえ、強盗だよ」とトム。「おれたちは強盗じゃねえんだ。そんなのは本式じゃねえよ。おれたちは待ち伏せをするんだ。覆面をかぶって、道路で乗合や自家用の馬車を止めて、客を殺して時計や金をとるんだ」

「かならず客を殺さなきゃいけねえのか？」

「もちろんさ。それがいちばんいいんだ。そうじゃないって書いてる本もあるけど、たいていは客を殺すのがいちばんいいことになってるんだ。ただ、何人かはこのほら穴に連れてきて、身のしろ金を取るまでつかまえておく」

「身のしろ金？　なんだい、そりゃ？」

「知らねえ、だけど、そうするんだ。本に書いてあるのを見たんだ。だから、そうしなきゃならねえにきまってるよ」

「だって、なんだか知らねえことを、どうやってやればいいんだい？」

「うるせえな、なんしろそうするんだよ。本に書いてあるって言っただろう？　それとも、本に書いてあるのと違ったことをして、すっかりめちゃくちゃにしてえのか？」

「そりゃ、口でそう言うのはいいけどな、トム・ソーヤー、だけど、やり方を知らねえのに、いったいどうやってそいつらの身のしろ金を取るんだ？　そこんとこが聞きてえのよ。おめえはどう思ってるだ？」

「さあ、知らねえ。だけど、たぶん、身のしろ金を取るまでつかまえておくっていうのは、つまり、死ぬまでつかまえておくっていうことじゃねえかな」

「うん、そりゃいいや。それでわかった。なぜ、もっと早く言わなかったんだ？　身のしろ金を取って死ぬまでつかまえておくのか——やっかいなやつらだろうな、なんでも食っちまって、しょっちゅう逃げたがるだろうから」

「なに言ってんだ、ベン・ロジャーズ。見張りがついてて、ちょっとでも動いたらすぐに撃ち倒すんだから、逃げられっこないさ」

「見張りか。ふん、そいつはいい。つまり、やつらを監視するために、だれか、ひと晩じゅう寝ないで起きてなきゃならねえってわけだな。そんなの、くだらねえよ。それより、やつらがここへ来たらすぐ、棒でぶんなぐって、身のしろ金を取っちまえばいいじゃねえか」

「本にはそうは書いてねえ──だからだめなんだ。よくきけ、ベン・ロジャーズ、おめえは本式にやりてえのか、やりたくねえのか──そこんとこが問題なんだ。おめえ、本を書いた人は、どうやるのが本式か、ちゃんと知ってるとは思わねえのか？　それとも、おめえのほうがよく知ってるとでも思ってんのか？　冗談じゃねえ。だめだよ、おれたちは本式のやり方で、やつらの身のしろ金を取るんだ」

「わかったよ。おら、どっちでもいいけれど、とにかく、くだらねえ。ところで、女もやっぱり殺すのか？」

「このベン・ロジャーズときたら、ものを知らねえにも程があるぞ。女を殺すって？　とんでもねえ──どの本をさがしたって、そんなことは書いてねえよ。女どもは、ほら穴へ連れてきて、はじめから失礼のないようにだいじにしてやるんだ。そうすると、やがて女がおめえに恋をして、もう家へ帰りてえなんて言わなくなるのさ」

「へえ、そういうわけなら、わかったけど、なんだか面白くねえなあ。すぐに、ほら穴は、女どもや、身のしろ金を取られるのを待ってるやつらでごったがえして、盗賊のいる場所がなくなるんじゃねえのか。まあ、いいからやってくれよ。おらあ、なんにも言うこたあねえ」

トミー・バーンズのちびは、もう眠ってしまって、起こしたら、おびえて泣きだし、かあちゃんのいる家へ帰りたい、もう盗賊にはなりたくないと言いだした。

それで、みんながトミーをからかって、泣き虫とはやしたてると、トミーは怒って、そのまま帰って秘密を全部ばらしてやると言った。しかし、トムが五セントやってトミーをなだめた。そして、今日はみんな家へ帰るけど、来週また集まって、だれかのものを盗み、何人かを殺そうと言った。

ベン・ロジャーズは、日曜日以外はあまり出られないから、こんどの日曜日から始めたいと言った。だけど、ほかの者たちが、日曜日にそんなことをするのはよくないと言ったので、それでその話はおしまいになった。できるだけ早く集まって日を決めることにして、おらたちは、トム・ソーヤーを一味の隊長に選び、ジョー・ハーパーを副隊長に選んで、家へ帰った。

おらが物置の屋根をよじのぼって、窓から部屋へもぐりこんだとき、ちょうど夜が明けるところだった。おらの新しい服はすっかりろうそくの脂(あぶら)でよごれて泥だらけで、からだはクタクタに疲れていた。

# 第三章

さて翌朝、おらはミス・ワトソンから、服をよごしたことでこってりしぼられた。ところが、後家のおばさんは、服の脂（あぶら）や泥をきれいにとってくれただけで、べつに叱りもしなかったし、えらく悲しそうな顔をしてたんで、おらも、しばらくは、できるだけおとなしくしようと思った。こんどは、ミス・ワトソンが、おらを小部屋へ連れこんで、お祈りをはじめたけれど、なんの効（き）きめもなかった（新約聖書「マタイ伝」第六章第六節参照）。ばあさんはおらに、毎日お祈りをしなさい、そうすれば願いごとはなんでもかなえられると言った。ところが、そうはいかなかった。おらは、やってみたんだ。いちど釣り糸が手にはいったが、釣り針がなかった。針がなきゃ、なんの役にも立たねえ。三回も四回も釣り針を頼んでみたが、どうも効きめがなかった。そのうちに、ある日、おらはミス・ワトソンに、おらのかわりに祈ってくれって頼んだら、ばあさんはおらをばかだと言った。どうしてだか、そのわけをばあさんは言わねえし、おらも、いくら考えてもわからなかった。

あるとき、おらは、森の奥へ行って腰をおろして、そのことをじっくり考えてみた。おらが思うには、もしお祈りして願いごとがなんでもかなうなら、どうして執事のウィンさんは、豚肉で損したお金を取り返せないのか？　どうして後家さんは、盗まれた銀の嗅（か）ぎタバコ入れを取り戻せないのか？　どうしてミス・ワトソンは太れないのか？　やっぱり、お祈りなんて効きめはねえ、とおらは思った。後家さんのとこへいってその話をすると、おばさんが言うには、お祈りをしてもらえるものは、「霊的な贈り物」なんだとさ。おらにはむずかしくてわかんなかったが、おばさんがわけを説明してくれた。つまり、他人を助けて、他人のためにできるだけのことをしてやって、いつも他人のことを心配して、ぜったいに自分のことは考えちゃいけねえんだと。他人ていう中には、ミス・ワトソンもはいるらしい。おらは森の奥までいって、長いあいだそのことを頭の中で考えに考えたけんど、やっぱりお祈りなんてなんの得にもならねえと思った――得するのは他人ばっかりだ――結局のところ、おらは、もうそんなことはよくよく考えねえで、忘れちまうことにきめた。時によると、おばさんがおらを呼びよせて、神様のことで、口からよだれが出るみてえにうめえ話をしてきかせることがあるんだが、その次の日には、ミス・ワトソンがやってきて、またその話をぶちこわしちまうってえわけさ。どうやら神様は二人いるらしいな。おばさんのほうの神様なら、つまらねえ人間でもいいことがありそうだけんど、ミス・ワトソンの神様につかまったら、もう百年目だ。あれこれ考えたあげく、おらは、おばさんのほうの神様がいいって言うなら、そっちへつこうと思った。もっとも、おらみてえに、ばかで、低級で下等なやつがついたって、神様のほうで得になるかどうか、おらにはよくわかんねえけんど。

　とうちゃんは一年以上も姿を見せなかった。おらも会いてえと思わなかったんで、いねえほうがおらも安心だった。とうちゃんは、むかしから、酒を飲んでねえときは、おらをとっつかまえちゃ、すぐぶんなぐった。そいでおらも、とうちゃんがいるときは、たいがい森へ逃げちまった。

さて、そのころ、町から二十キロばかり上流の所で、とうちゃんが水死体で見つかったって話を聞いた。この水死人は、どう見てもとうちゃんだっていうんだ。からだの大きさも合ってるし、ぼろ服を着て、いやに髪が長いのも、とうちゃんとそっくりだ――ただ、顔のかたちははっきり見分けがつかなかった。なにしろ水の中に長いことつかってたんで、まるで顔らしい顔をしてなかった。その死体は、仰向けに水の中を流れていたそうだ。死体は引き上げられて、土手に埋められた。でも、おらは、いつまでも安心していられなかった。ひょっと思いついたことがあるからだ。男の水死人は、仰向けに流れねえで、うつ伏せになるってことを、おらはよく知っていた。だからこの水死人は、とうちゃんじゃなくて、男の服を着た女だってことが、おらにはわかった。そこでおらは、また落ち着かなくなった。いくらいやだといっても、おやじはまた近いうちに姿を現わすだろうと思った。

おらたちは、その後一か月ばかりは、ときどき盗賊ごっこをしたが、そのうちに、おらは脱退した。ほかのやつらも、みんなやめた。おらたちは、だれからも盗みもしねえ、だれを殺しもしねえで、ただ、そうしているつもりになってただけだ。おらたちは、森の中から飛び出して、ブタ追いの商人たちや、青物を荷車に積んで市場へ持っていく女たちを襲撃したけんど、品物はなんにもとらなかった。トム・ソーヤーは、ブタのことを「金塊」って言ったり、カブラやなんかを「宝石」だなんて言っていた。それからおらたちはほら穴へ戻って、その日の手がらだの、何人殺してしるしをつけたなんてことを、ベチャベチャしゃべりあった。でもおらは、そんなことをしてなんの得になるのかわからなかった。あるときトムは、仲間のひとりに火のついた棒を持たせて、町じゅうを駆けまわらせた。トムはそれをのろしと言っていた(それが一味の集合の合図なんだ)。それからトムは、スパイの秘密情報で、スペインの商人と金持ちのアラビア人の集団が、二百頭の象と、六百頭のラクダと、千頭以上の「運搬用」ラバにダイヤモンドをぎっしり詰めこんで、ケーヴ・ホローのくぼ地に宿営することがわかったと言った。しかも、わずか四百人の兵士しか護衛につれていないので、伏兵とかいうものをしかけて、相手をみな殺しにして、品物をかっさらうのだとさ。おらたちは、剣や銃を磨き上げて準備するように言われた。トムときたら、カブラの荷車を追いかけるにも、剣や銃を磨き上げて準備しなきゃ気がすまないんだ。といったって、じっさいはただの木切れやほうきの柄なんだから、いくらゴシゴシこすっても、これっぽっちも磨きなんかかかりゃしねえ。おらは、そんなに大勢のスペイン人やアラビア人をやっつけられるとは思わなかったけど、ラクダと象が見たかったんで、その翌日の土曜日に、伏兵の仲間にはいった。おらたちは、合図とともに森を飛び出して、坂を駆け下りた。ところが、スペイン人もアラビア人もいなけりゃ、ラクダも象もいなかった。なんのこたあねえ、ただの日曜学校の遠足で、しかも下級生だった。おらたちは、遠足の列をぶっつぶして、くぼ地を駆け上がる生徒を追っかけた。でも、獲物はドーナッツとジャムが少しだけだった。あとは、ベン・ロジャーズが布の人形をひとつと、ジョー・ハーパーが賛美歌の本と宗教の本を一冊ずつとっただけだ。こんどは教師が追っかけてきたんで、おらたちは、何もかもほうり出して逃げた。ダイヤモンドなんかどこにもなかった。おらはトム・ソーヤーにそう言うと、トムは、山のようにたくさんあったと言う。それから、アラビア人もいたし、象やなんかもあったと言う。おらが、じゃ、なぜあのとき見えなかったんだときくと、トムは、おめえみたいなばかに言っても仕方がないが、もし『ドン・キホーテ』って本を読んでいれば、きかなくたってわかるんだ、と言った。すべて、魔法でやるんだとさ。何百人という兵隊もいたし、象や宝物やなんかもあったんだけど、敵のほうには魔法使いっていうやつらがいるんで、そいつらがいじわるをして、まるごと日曜学校の子供の遠足に変えちまったんだと。おらは、よし、そんならおらたちは、その魔法使いをやっつければいいと言った。トム・ソーヤーは、おらのことをなんてばかだと言った。

「いいか、魔法使いは、鬼を何匹でも呼び出せるんだ。その鬼にかかったら、おめえなんか、あっというまに小間切れにされちまうんだぞ。なんしろ、見上げるように背が高くて、胴のまわりは教会ぐらいあるんだから」

「それじゃ、こっちでも鬼を呼んで、助けてもらったら——そうすれば相手をやっつけられねえか?」

「どうやって呼ぶんだ?」

「知らねえ。あいつらは、どうやって呼ぶんだい?」

「そりゃ、古いブリキのランプか鉄の指輪をこするんだ。そうすると鬼どもが、ゴロゴロピカピカかみなりを鳴らしたり、モクモク煙をたてたりしながら駆けつけてきて、やれと命令されたことはなんでも、すぐにやってくれるんだ。高い塔を根っこから引き抜くことだって、その引き抜いた塔で、日曜学校の校長だろうとだれだろうと、頭をぶんなぐるくらい朝めし前だ」

「だれの命令でそんなにあばれまわるんだい？」

「そのランプか指輪をこすれば、だれだって命令できるのさ。その鬼たちは、だれでもそのランプか指輪をこすった人の家来になって、なんでもその命令に従わなきゃならないんだ。たとえば、長さ六十キロもあるダイヤモンドの宮殿を作って、その中にチューインガムでもなんでも、こちらの好きな物でいっぱいにしろとか、中国の皇帝の娘と結婚したいから連れてこいとか命令すれば、鬼はそうしなきゃならない——しかも翌朝の夜明け前にしなきゃならないんだ。いいか、それだけじゃない、その宮殿を、どこでもこちらが命令した場所まで、わざわざはこんでこなきゃならないんだ」

「宮殿を自分のものにしないで、捨てちまうなんて、ばかなやつらだな。それに——もしおらがその鬼だったら、おんぼろのブリキのランプをこすったくらいで、自分の仕事をほうり出して飛んでいくなんて、そんなの、まっぴらごめんだ」

「なに言ってんだ、ハック・フィン。ランプをこすられたら、いやがおうでも、いかなきゃならねえんだよ」

「え、おらが見上げるくらい背が高くて、胴のまわりが教会くらいあってもか？　そんなら、

ランプをこする

仕方ねえ、いくよ。でも、おら、かならずその人に、そこらじゅうでいちばん高い木に登らしてみせらあ」

「チェッ、おめえなんかに話しても仕方ねえや。まるでわかっちゃいねえ——特製のとんまだなあ」

おらは、この問題を二、三日よく考えたあげく、本当かどうかためしてみることにした。おらは、古いブリキのランプと鉄の指輪を見つけると、森の中へはいって、ヘトヘトになるまでこすりにこすった。宮殿を作ったら売ってやろうと思ってた。だけど、なんの効きめもなくて、鬼なんか一匹も出てこなかった。そこでおらは、この話はみんな、いつものトム・ソーヤーのうそっぱちだと思った。アラビア人だの象だのって、トムは本気でいたかもしれねえが、おらはそうは思わねえ。要するに、日曜学校と同じじゃねえか。

# 第四章

さて、三か月か四か月たって、もうすっかり冬になった。おらは、ほとんど休まずに学校へ行って、ちっとは読み書きもできるようになり、九九の表も、六・七・三十五まで言えるようになった。でも、それから先は、死ぬまでやったっておぼえられそうもねえ。とにかく、算数ってのは性に合わねえや。

はじめのうちは学校がいやでたまんなかったけど、そのうちだんだんがまんできるようになった。いやでたまんねえときは、さぼったけど、その次の日にむちでぶたれると、すっきりして、また元気が出た。それで、なん日も学校へ行ってるうちに、だんだんらくになった。後家さんのやり方にもなんとなく馴れてきて、それほど気にさわらなくなった。家ん中で暮らして、ベッドで寝るのは、すごく窮屈だったけど、寒くならねえうちは、よく抜けだして森ん中で寝たりしたんで、それで気晴らしをした。むかしの暮らしがいちばんよかったけど、新しい暮らしもいいと少しは思うようになった。後家さんも、おらの進歩はのろいけど確かで、この調子なら申し分な

いと言ってた。もう、おらのことを恥ずかしいとは思わねえとよ。

ある朝、飯どきに、おらは塩つぼをひっくり返しちまった。早いとこ、ひとつまみ拾って、左の肩越しに投げて、厄落としをしようと思って手を伸ばしたら、ミス・ワトソンのほうが手が早くて、おらをさえぎった。「手をひっこめなさい、ハックルベリー――おまえときたら、いつもろくなことはしやしない」後家さんがひとこと言ってとりなしてくれたけど、そんなんじゃ厄ばらいにはならねえことくらい、おらはよく知ってるんだ。朝めしがすんで家を出たが、心配で落ち着けねえで、いったいどこで、どんな厄病神にとりつかれるのかと、びくびくしていた。厄ばらいのおまじないがある場合もあるけど、塩をこぼした時はどうしようもねえ。そこでおらは、何をしようともしねえで、ただ元気なくぶらぶらして、厄病神がいつ来るかと見張っていた。

おらは、前庭を通って、高い木の柵を乗り越える踏み段をよじ登った。地面には新しい雪が二、三センチつもって、そこにだれかの足あとがついていた。その足あとは石切り場の方から続いていて、踏み段のあたりを少しうろうろしたあとで、庭の柵のまわりをつたって先へ行っていた。そんなにうろうろしていながら中にはいってないところがおかしい。どうしてもそのわけがわからねえ。どう考えても変だった。おらは、その足あとについていってみようと思ったが、まず、かがんでその足あとをよく見た。はじめは何も気がつかなかったが、もういちど見てわかった。左のくつのかかとに、大きな釘を組合わせた悪魔よけの十字形がついていたんだ。

おらは、あっという間に飛び上がって、坂を駆け下りていた。ときどき肩越しに振り返ったけど、だれも見えなかった。おらは、いちもくさんにサッチャー判事さんの家へ飛びこんだ。判事さんは言った。

「なんだ、ハック、そんなに息を切らして。利息でも取りに来たのか」

「いいえ。利息がはいったんですか」

「うん、半年分が昨夜はいった。百五十ドル以上になる。おまえには相当な大金だな。おまえに渡してもむだ使いするだけだから、元金の六千ドルといっしょにわしが投資してやろう」

「いいや、そんなお金は使いたくねえです。そんな利息なんかいらねえ――六千ドルもいらねえです。判事さんが取ってくだせえ。全部、六千ドルも何もかも上げます」

判事さんはびっくりした顔で、わけがわからないようだった。

「いったい、どういうわけだね、ハック」

「お願いですから、なんにもきかねえでください。全部、取ってくれますね?」

「こりゃ驚いた。どうしたというんだ?」

「なんにもきかねえで、取ってくだせえ。そうすりゃ、おらもうそをつかねえですむだから」

判事さんは、少し考えこんでから言った。

「なあるほど。わかったぞ。おまえの財産をわしにくれるのではなくて、売りたいというのだな。それはいい考えだ」

それから判事さんは、紙に何か書いて、よく読み直してから言った。

「ほら、わかったな、『対価として』と書いてある。つまり、わしがそれをおまえから買って、その代金を支払ったということだ。さあ、一ドルやるから、ここにサインしなさい」

そこでおらはサインして出てきた。

ミス・ワトソンとこの黒んぼのジムは、人間のげんこつくらいの大きさの毛球(牛などがのみこんだ毛が胃の中でかたまったもの)を持っていた。それは牛の第四胃から取り出したもんで、ジムはそれを使って、よく魔術をやっていた。ジムに言わせると、その球の中に魂がいて、なんでも知っているんだそうだ。そこで、その晩おらはジムのところへ行って、とうちゃんの足あとを雪の中で見つけたから、またとうちゃんが帰ってきたらしいと話した。おらが知りたかったのは、とうちゃんが何をするつもりかということと、ずっとこの町にいるつもりかということだった。ジムは毛球を取り出して、何かモゴモゴ言ってたが、それから球を持ち上げると床の上に落とした。球はドサッと落ちて、二、三センチころがっただけだった。ジムは、もう一回、もう一回とやってみたが、やっぱり同じだった。ジムはひざをついて、耳を球にあてて聞いた。それでもだめで、球はなんにも言わないそうだ。そして、球にお金をやらないと口をきかない時がある、と言った。おらは、古くてテカテカになったにせ金の二十五セント玉があるけど、銀メッキの下から真ちゅうが見えていて、使いものにならねえと話した。たとえ真ちゅうが見えてねえとしても、ひどくテカテカでベタベタしてるんで、見ればすぐににせ金とわかって、どっちみち使いものにならなかった。(判事さんからもらった一ドルのことは、なんにも言わねえことにした。)そんなひどいお金だけれど、毛球にはにせ金の区別がつかないかもしれねえから、取ってくれるんじゃねえかと、おらは言った。ジムは、においをかいだり、噛んだり、こすったりしてから、毛球をなんとかごまかして、本物の金だと思わせてみようと言った。まず、生のジャガイモを割って、その中に二十五セント玉をつっこんで、ひと晩そのままにしておくと、翌朝には真ちゅうも見えなくなり、ベタベタもしなくなって、毛球どころか、町へいってだれに見せても、すぐに本物で通用するようになるんだとさ。おらも、ジャガイモを使えばうまくいくことは前から知っていたが、すっかり忘れちまってた。

ジムは、お金を毛球の下において、またしゃがんで耳をあてた。こんどは毛球も言うことをきいてくれて、おらが望むなら、一生の運勢を教えてくれるっていうんで、おらは、やってくれと頼んだ。それで、毛球がジムに話して、それをジムがおらに伝えてくれた。こういうわけだ。

「おめえのおやじさんは、どうしようか、まだ迷っていなさる。行っちまおうかと思ったり、また考え直して、このままいようかと思ったりしておる。いちばんいいのは、今のままそっとして、おやじさんの好きなようにさせるこった。おやじさんの頭の上を、ふたりの天使が飛びまわっとって、ひとりは白くてキラキラ光っとるが、もうひとりは黒じゃ。しばらくのあいだ白いのがおやじさんを正しい方へ進ませたと思うと、そこへ黒いのが飛びこんできて、何もかもぶちこわす。しめえにはどっちがおやじさんをとっつかめえるか、まだなんとも言えねえけんど、おめえは、でえじょうぶだ。一生のあいだには、たんと苦労もあるけんど、またたのしみもたんとある。怪我をしたり、病気になったりすることもあるけんど、かならずまたよくなる。ふたりの女の子が、一生のあいだ、おめえのまわりを飛びまわる。ひとりは色が白くって、もうひとりは黒い。ひとりは金持ちで、もうひとりは貧乏だ。おめえは、はじめ貧乏なほうと結婚するけんど、やがて金持ちのほうといっしょになる。できるだけ水のそばには近よらねえようにしろ。それから、無茶をするんじゃねえ。しばり首になるって、ちゃんと書いてあるだから」

その晩、おらがろうそくをつけて部屋へ上がっていくと、うわさの主(ぬし)のとうちゃんがすわっていた。

# 第五章

おらは、ドアをしっかりしめた。それから振り向いて、とうちゃんのほうを見た。とうちゃんにはさんざんぶたれたんで、いつもこわくてしようがなかった。そのときも、はじめはやっぱりこわいと思ったけど、すぐにそうじゃねえことがわかった。いきなりぶつかったんで、最初はまあギョッとして、思わず息が止まったみてえだったけど、すぐそのあとでは、そんなにびくびくするほどこわがってねえことが、自分でもわかった。

とうちゃんの年はかれこれ五十だが、じっさいそのくらいに見えた。くしゃくしゃのきたねえ髪を長く垂らしてるんで、その中から目が光ってるところは、まるでブドウのつるのあいだからのぞいてるみてえだった。まっ黒で、白髪なんか一本もねえ。長いもじゃもじゃのひげもやっぱりまっ黒だった。髪のあいだからのぞいてる顔には、まるで血の気がなくて、真白だった。ほかの人の白いのとちがって、気分が悪くなるみてえな、思わず背すじがぞくぞくするみてえな、つまり、アマガエルか魚の腹みてえな白さだった。着てるものを見ると、ただぼろっきれをひっか

ぶってるだけだ。片っ方の足の足首を、もうひとつの足のひざにのせていた。その足の靴が破けて、足の指が二つ首を出していて、その指がときどき動いていた。帽子は床(ゆか)の上においてあった。てっぺんがへっこんだ、なべぶたみてえなおんぼろの黒いソフトだった。

おらは、つっ立ったまんま、とうちゃんのほうを見てたが、とうちゃんは、いすを少し後ろにかしげて、すわったまんま、おらのほうを見ていた。おらは、ろうそくをおいた。見ると窓があいてるんで、とうちゃんは物置の屋根からはいこんだことがわかった。とうちゃんは、じろじろとおらのからだを見まわしていたが、そのうちに言った。

「いやにパリッとした服だな。てめえ、よっぽどえらくなったつもりでいるんじゃねえか？」

「そうかもしれねえし、そうじゃねえかもしれねえ」

「なまこくんじゃねえや。久しく見ねえうちに、やけにすかすようになりやがったな。もうすぐその鼻っぱしを折ってやるからおぼえてろ。それに、てめえ、学校へ行って、読み書きができるそうだな。おやじにできねえことができるからって、てめえのほうがえれえと思ってるのか。おれがその根性をたたき直してやる。いやにえらそうにしやがって、そんなまねをしろと教えたのはだれだ？　どこのどいつだ？」

「後家のおばさんだよ、教えてくれたのは」

「後家だと？　それじゃ、その後家に、てめえに関係のねえよそのがきに、ちょっかいを出していいと教えやがったのはだれだ？」

「だれもそんなこと教えねえよ」

「ばばあめ、余計なことをしやがったら承知しねえぞ。いいか、てめえも、その学校はやめるんだ。父親に対して生意気風を吹かせて、自分のほうがえれえみたいなふりをするなんて、そんな育て方をしやがったやつは思い知らせてやる。またその学校のあたりをうろついてるところを、おれが見つけたらただじゃおかねえ。てめえのおふくろだって、死ぬまで、読むこともできなけりゃ、書くこともできなかった。そのほか身内のだれだって、死ぬまでそんなことはできなかった。おれだってできねえ。ところが、てめえときたら、こんなにふんぞりけえっていやがる。そんなのを黙っていられるおれさまじゃねえんだ、わかったか？　ところで、本を読むのを聞こうじゃねえか」

おらは本を取り上げて、ワシントン将軍と戦争のところを読みはじめた。三十秒も読まねえうちに、とうちゃんはピシャリと本に平手打ちをくわしたので、本は部屋の向こうにふっとんだ。

「なるほど。読めるんだな。さっきは、あやしいもんだと思ってた。いいか、おい、すかしたまねはやめろ。がまんならねえ。こら、おりこうさんよ、おれは見張ってるからな。こいつ、ぼやぼやしてると、学校へいくところを見つけたら、いやっていうほどぶちのめしてくれる。こいつ、ぼやぼやしてると、坊主の弟子にもなりかねねえ、あきれたがきだ」

とうちゃんは、青と黄色で、牛と男の子を描いた小さい絵カードを取り上げて、

「こりゃなんだ？」ときいた。

「勉強がよくできたとき、くれるんだよ」

とうちゃんは、絵をビリビリに破いて、言った。

「牛の絵よりもっといいものをやる。牛の皮のむちをくれてやるぞ」

とうちゃんは、すわったまま、しばらくモゴモゴブツブツ言っていたが、こんどは、

「てめえ、香水でもふりかけて、めかしてんのか？　ベッドに、ふとん。それに鏡。床の上にじゅうたんか。ところが、てめえのおやじは、皮工場でブタどもとゴロ寝しなきゃなんねえんだぞ。あきれたがきだ。その生意気なつらの皮を少しひんむいてやらなきゃ気がすまねえ。気どるのもいいかげんにしろ。てめえ、金持ちになったそうだな？　え？　どうだ？」

「どうだって、それうそだよ」

「いいか、気をつけて口をきけよ。おれも、たいがいのことはがまんしてるんだ。つべこべ言い返すんじゃねえ。おれは町へ来て二日になるが、どこへ行っても、てめえが金持ちになった話で持ちきりだ。ずっと川下のほうでもその話を聞いた。だから、こうしてやってきたんだ。その金を明日おれによこせ。用があるんだ」

「金なんか持ってねえよ」

「うそつけ。サッチャー判事があずかってるのが、てめえの金だろう。その金に用があるんだ」

「おら、金なんか持ってねえってば。サッチャー判事さんに聞いてみろよ。同じこと言うか

ら」

「よし。聞いてみる。ついでにその金も出させる。出さねえなら、わけをきこう。ところで、てめえ、ふところにいくら持ってる？　用があるんだ」

「一ドルしか持ってねえよ。おらだって、それに用が——」

「てめえの用なんか、どうだっていいんだ。だまって出せ」

とうちゃんはお金を受けとると、本物かどうか嚙んでみて、そして、これからウイスキーを買いに町へ行ってくる、朝から一滴も飲んでねえから、と言った。とうちゃんは、物置の屋根へ出ていったと思うと、また首をつっこんで、おらがすかしてて、とうちゃんよりえらくなろうとしてると言って、ののしった。もう行ったかと思うと、また戻ってきて、首をつっこんで、学校のことをよくおぼえておけ、待ち伏せしているからな、もしやめなかったらぶんなぐるぞ、と言った。

次の日、とうちゃんは酔っぱらって、サッチャー判事さんのところへ行って、判事さんをおどかして金を出させようとした。そしてそれに失敗すると、法律に訴えて出させてみせるとわめいた。

判事さんと後家のおばさんは、裁判所へ行って、法律の力でおらをとうちゃんから引き離して、二人のうちどちらかを後見人にしようとした。ところが、かかりの判事が、来たばかりの新しい人で、おやじのことを知らなかった。それでその人は、法廷は家族の問題に干渉したり、離別させたりしてはならないから、自分としては子供を父親から取り上げたくないと言った。そこで、サッチャー判事さんとおばさんは、仕方なしにこの問題から手を引いた。

おかげでおやじは、有頂天になって喜んだ。そして、おらが金を作ってやらなければ、からだが紫色にはれあがるまでぶったたいてやると言った。おらは、サッチャー判事さんから三ドルかりた。とうちゃんはそれを取り上げると、酔っぱらってあばれまわった。わめいたり、どなったり、ひどい荒れようだった。ブリキなべをたたいて町じゅうを歩きまわる騒ぎが、真夜中近くまで続いて、とうとうブタ箱にぶちこまれた。そして翌日、裁判を受けて、また一週間も監獄に入れられた。それでもとうちゃんは満足だと言った。息子はおれのものだから、こってりしごいてやると言った。

とうちゃんが監獄から出ると、新しい判事は、とうちゃんを真《ま》人間《にんげん》にしてやると言った。そして、とうちゃんを自分の家へ連れていって、さっぱりした新しい服に着かえさせた。朝も昼も晩も家族といっしょに食事をさせて、まるでお客扱いでだいじにした。そして夕食のあと、禁酒やなんかの話をしてきかせると、しまいにおやじは泣きだして、いままでは馬《ば》鹿《か》でした、やくざな暮らしをしてきました、でもこれからは心をすっかり入れかえて、だれにも恥ずかしくないような人間になりますから、どうぞ判事さんもお助けください、見下げないでください、と言った。すると判事は、それを聞いておまえを抱きたいくらいうれしい、と言って泣いた。判事の奥さんも、また泣いた。とうちゃんが、あたしはこれまでいつも誤解されてきた人間ですと言うと、判事も、わたしもそう思う、と言った。おやじが、落ち目になった人間に必要なのは同情です、と言うと、判事もその通りだと言った。そこで二人はまた泣いた。寝る時間になると、おやじは起き上がって、片手をさし出して言った。

「みなさん、この手を見てください。お手にとってください。握ってください。これは、昨日まではブタの手でした。今はちがいます。これは、新しい人生に向かって歩きはじめた人間、死んでもあと戻りしない人間の手です。よく聞いてください。わたしが言ったということを忘れないでください。今日からは、きれいな手になりました。こわがらないで、握ってください」

そこで、みんなは、かわりばんこに、ぐるぐるまわってその手を握って泣いた。奥さんはその手にキスした。それからおやじは、誓いにサインした——つまり、しるしを書いた。判事は、これは歴史に残る神聖な時である、とかなんとか言った。そしておやじを、お客用のきれいな部屋に入れた。少し夜がふけてから、おやじは、ひどくのどがかわいたので、ベランダの屋根の上へはいだして、柱をつたって下へおりた。それから、新しい上着とひきかえに安ウイスキーを手に入れて、また柱をよじのぼってもとの部屋へ帰って、愉快な一夜をすごした。そして、明け方近くなってから、べろんべろんに酔ったまま、またはいだして、ベランダからころげおちて、左の腕を二か所折った。そのまま凍え死にしかけているところを、夜が明けてからだれかが見つけた。家のものが客室をのぞきに来てみると、部屋の中は、足でさぐりながら歩かなきゃならねえくらい散らかっていた。

さすがの判事も、ちょっと頭へきた。そして、このおやじを改心させるには、猟銃がよかろう、ほかに方法はない、と言った。

# 第六章

さて、まもなくおやじは、また元気をとり戻して、こんどは法廷でサッチャー判事さんに食いついて、れいの金を渡させようとしたり、そうかと思うと、学校をやめないといって、おらにつっかかってきた。二回ばかし、つかまってぶんなぐられたけど、それでもおらは学校をやめねえで、たいていは、おやじとぶつからねえようにして逃げていた。おらは、以前はあんまり学校へ行きたくなかったけど、こんどはおやじへの腹いせに行ってやろうと思った。法廷の裁判てのは手間がかかるもんで、いつまでたっても、いっこうに始まらねえみたいに見えた。それでおらは、むちでひっぱたかれねえために、しょっちゅう判事さんとこへ行っては、おやじのために二、三ドル借りたもんだ。金がはいるたんびに、おやじは酔っぱらった。そして、酔っぱらうたんびに町じゅうをあばれまわり、あばれるたんびにブタ箱に入れられた。おやじもごきげんだった。こういう暮らしがちょうどおやじの性(しょう)に合っているんだ。

おやじが後家のおばさんのとこへたかりに通(かよ)う回数がだんだん多くなったので、しまいにおばさんは、おやじに向かって、いいかげんにうろちょろするのをやめないと、面倒なことになるよ、と言った。ところがおやじはカンカンに怒って、ハック・フィンのボスはいったいだれなのか、はっきりさせてやると言った。そうして、春先のある日、おらを待ち伏せしていて、とっつかまえると、小舟にのせて、五キロばかり川をさかのぼり、向こう岸のイリノイ州の側へこいで渡った。そこは森になっていて、家らしいものといえば、古い丸太小屋が一つあるだけだったけど、なんしろ木がいっぱい生えてるんで、場所を知ってる者以外には、だれにも見つけられなかった。

おやじはおらをいつもそばにおいていたんで、ぜんぜん逃げるチャンスはなかった。おらたちはそのぼろ小屋で暮らしていたが、おやじはいつもドアに錠をおろして、夜は鍵を自分の頭の下にしまって寝た。おやじの持ってる鉄砲は、たぶん盗んだものだと思うが、それでおらたちは魚や獣(けもの)をとって、それを食べていた。ときどきおやじは、おらを小屋にとじこめておいて、五キロ川下の船着き場の店へ行っては、いい機嫌になって、取った魚やけものをウイスキーと取りかえて、持って帰ると、酔っぱらっては、おらをぶんなぐった。そのうちに、後家のおばさんは、おらのいる所を見つけて、おらを取り返すために人をよこしたけれど、とうちゃんは鉄砲でその人を追っぱらった。だけど、その後まもなく、おらは、そこの暮らしにも馴れて、むちでやられるのだけはかなわねえけど、それ以外は好きになった。

本もなければ勉強もなしで、タバコを吸ったり魚をつったりして、一日じゅうのんびり遊んでいるのは、らくでいい気持だった。そうして二か月以上もたったので、おらの服はすっかりボロボロで、泥んこになった。後家さんのとこじゃ、洗濯したり、食いものを皿にのせたり、髪の毛にくしを入れたり、きちんと時間に寝たり起きたりしなきゃなんねえし、年じゅう本のことで大騒ぎしたり、しょっちゅうミス・ワトソンにいじめられてばっかりいたが、どうしてあんな暮らしがあんなに気にいっていたのか、いまではさっぱりわからなかった。もう二度と戻りたくなかった。おらは、後家さんがいけねえって言うんで、悪態をつくのをやめていたが、とうちゃんはなんにも文句を言わねえんで、またやりはじめていた。なんやかや考えると、この森の中の暮らしは結構たのしかった。

ところが、そのうち、とうちゃんの、むちの使い方がだんだんはげしくなったんで、おらはがまんできなくなった。からだじゅうがミミズばれになった。とうちゃんが家をるすにする回数もだんだん多くなって、そのたんびにおらはとじこめられた。いちどなんかは、おらをとじこめたまま、三日も帰ってこなかった。すごくさびしかった。とうちゃんは溺れ死んじまって、おらはもう外へ出られねえんじゃねえかと思った。おらはこわくなった。なんとかしてここを出ていく方法を考えだそうと思った。それまでにも、小屋を脱けだそうと思って何回もやってみたが、どうしてもだめだった。犬が通りぬけるくらいの大きさの窓もなかった。煙突の口も小さすぎて登れなかった。ドアは、厚いがっしりしたオークの板で作ってあった。とうちゃんは、出ていくときに、小屋の中にナイフもなんにも残さないように、すごく気をつけていた。おらは小屋じゅうを百ぺんもさがしまわったっけ。しょっちゅうそればっかりやってた。だって、それしか時間のつぶしようがないもんな。ところが、こんどこそいいもんを見つけた。おんぼろの、さびついた、柄のとれた、まき割りのこだ。屋根のたるきと下見板のあいだにはさんであったんだ。おらは、そののこに脂をくれて、仕事にかかった。小屋のいちばん隅の、テーブルのかげに、古い馬用の毛布が一枚、丸太にかぶせて釘で打ちつけてあった。丸太のすきまから風が吹きこんで、ろうそくの明かりを消さないようにするためだ。おらはテーブルの下へもぐりこんで、毛布を持ち上げて、いちばん下の太い丸太の一か所をくりぬいて、おらが通れるくらいの穴を作る仕事にとりかかった。えらく手間のかかる仕事だったけれど、やっと終わりに近づいたころ、森の中でとうちゃんの鉄砲の音が聞こえた。おらは、仕事のあとが目につくようなものは片づけて、毛布をおろして、のこぎりもかくした。まもなく、とうちゃんが帰ってきた。

とうちゃんは、ごきげんななめだった。つまり、とうちゃん本来のすがたというわけだ。町へ行ったけれど、万事うまくいかなかったらしい。とうちゃんの弁護士が言うには、裁判が始まりさえすれば、それに勝ってお金を取れると思うけれど、裁判を長いあいだ引き延ばす方法もいろいろあって、サッチャー判事さんはそのやり方を知ってるんだそうだ。それからまた、それとはべつに、おらをとうちゃんから取りあげて、後家のおばさんにやって後見人になってもらうようにする裁判が始まるかもしれねえが、こんどはその裁判でおばさんのほうが勝つと見ているんだとさ。これにはおらもぶったまげた。だって、おらは、またおばさんのとこへ戻って、窮屈な思いをして、教育とかいうもんをやらされるのはまっぴらだった。そのうちにおやじは悪態をつきはじめた。だれかれの見さかいなく、片っぱしからこきおろして、抜かしたやつがあるんじゃないかと確かめるみたいに、もう一度はじめからやり直し、そのあとで、仕上げにもう一回ぜんぶまとめてこきおろした。その中には、おやじが名前も知らないような人もずいぶんたくさんはいっていたんで、そこまでくると、どこかの馬の骨めなんて呼んで、そのまま悪態を続けていった。おやじは、後家のばばあが、このがきを取り戻せるならやってみろ、と言った。こっちも目くらじゃねえんだ。ふざけたまねをしやがったら、いい手がある。十キロばかり離れた所に、がきを閉じこめておくいい場所を知ってるんだ。足が棒になるまでさがしたって、見つかりやしねえ。これを聞いて、おらはまた、ひどく心配になったが、それもほんのちょっとのあいだだった。おらは、おやじがそんなことをするまで、そばにはいめえと思った。

おやじはおらに、小舟のとこまで行って、持ってきた物をはこんでこいと言いつけた。ひきわりトウモロコシが二十二、三キロもはいった袋や、わき肉ベーコンや、鉄砲の弾丸(たま)や、十五リットル入りのウイスキーのびんや、鉄砲につめるための古本一冊と新聞紙二枚、それに麻くずまであった(旧式の銃では、火薬や弾丸を押さえるために紙や麻をつめた)。おらは、荷物を背負って戻りかけたが、小舟のへさきに腰かけてひと休みした。よくよく考えた末、おらは、鉄砲と釣り糸を少し持ってとび出し、逃げたあとは森の中へ行こうと思った。そして、一か所ばかりにいないで、なるべくは夜のあいだに、あちらこちらと渡り歩いて、けものをとったり魚を釣ったりして命をつなぎ、おやじにも後家さんにもぜったいに見つからないほど遠くまで逃げてしまおうと思った。その晩おやじは酔っぱらうだろうから、そうしたら、のこぎりであけた穴から出ていこう。そんな考えで頭がいっぱいになっていたんで、長いあいだすわっていたのに気がつかないでいたら、おやじが大声を上げて、眠って

よくよく考える

いるのか、溺れて死んだのか、とどなった。

荷物をぜんぶ小屋にはこんだころには、もう日が暮れかかっていた。おらが晩めしを作っているあいだ、おやじは一、二杯ひっかけて、少しメートルが上がってきたんで、また悪態をつきはじめた。おやじは、もう町で飲んでいて、どぶの中でひと晩寝ていたから、見られたざまじゃなかった。からだじゅう泥だらけで、どう見ても原始人てとこだった。酒がきいてくると、おやじはかならず政府の悪口を言うのがおきまりだった。こんどもまた始まった。

「これが政府だと！　どんな代物だか、よく見てみろってんだ。法律ってものがありながら、ひとさまの息子を取り上げようってのか。ええ手間と、ええ苦労と、ええ金をかけて育てた、正真正銘の息子だぞ。ところが、ひとさまがやっと息子を育て上げて、これからはそろそろ息子を仕事につかせて、少しはのんびりさせてもらおうって時になって、法律のやつが邪魔をしやがる。これが政府ってものか！　それぱかりじゃねえや。その法律は、あのサッチャー判事なんてじじいの肩を持って、おれが財産を手に入れるのを邪魔しやがる。これが法律のやることなのか。六千ドル以上の値うちのある人間をつかめえて、こんなおんぼろ小屋に押しこめて、ブタも着ねえようなぼろ服を着せてごろごろさしとくなんて法があるのか。これが政府ってもんか！　こんな政府じゃ、とても人間の権利なんてものは守れねえ。おれは、いっそのこと、こんな国とはおさらばして、飛び出しちまおうかって思うことがよくあるんだ。そうよ、おれはそう言ってやった。サッチャーのじじいに面と向かってそう言ってやったんだ。そのときおれが言ったことを、聞いておぼえているやつもたくさんいるはずだ。おれは言ってやった、こんなきたねえ国には金輪際いたくねえ、おさらばして二度と戻ってこねえってな。その通り言ってやった。それから、この帽子を見ろ、これが帽子か——てっぺんがめくれて、あとはあごの下まで沈没しちまって、これじゃ帽子なんてもんじゃねえ、まるでおれの頭がストーブの煙突から突き出してるみてえなもんだ。これを見てくれってんだ。こんな帽子をかぶせやがって、これでも、取るものさえ取れりゃ、この町でいちばん金持ちの仲間なんだぞ」

「いや、まったく、てえした政府だよ、てえした。いいか、よく聞けよ。オハイオ州から来た自由な黒んぼがひとりいてだな、白人との混血だが、まるで白人みてえに白いやつだ。見たこともねえほど白いワイシャツを着こんで、ピカピカの帽子をかぶってやがる。町じゅうさがしてもこんなしゃれた服を着てるやつは見つからねえといういでたちで、しかも、金ぐさりつきの金時計に、銀のにぎりのついたステッキときた。オハイオ州きっての白髪のお大尽さまだ。それに、驚いちゃいけねえ、大学の教授で、あらゆる国のことばがしゃべれて、何でも知らねえことはねえんだとよ。まだそれだけじゃねえ。こいつは、故郷へ帰れば、投票できるんだとよ。これにゃあきれてものが言えねえ。いってえ、この国はどうなってるんだい? ちょうど選挙の日で、おれも、酔っぱらってなきゃ、一票を投じに行こうかと思ってたんだが、あの黒んぼに投票させる州がこの国にあると聞いて、おれはやめにした。もう二度と投票しねえぞ。そう言ってやったんだ。みんな聞いたはずだ。こんな国がどうなろうと知っちゃいねえ。生きている限り、もう二度と投票しねえぞ。あの黒んぼのつんとすましたところを見ろ。あれじゃ、途中でぶつかったって、こっちで突きとばさなけりゃ、道をゆずりもしめえぜ。おれはみんなに言ってやった、なんだってこの黒んぼを競売にかけて売っとばさねえんだ、そのわけが知りてえとな。ところが、みんながなんて言ったと思う？　この州に来て六か月たたねえうちは売ることもできねえんだが、まだそれだけになってねえんだとよ。いやはや、あきれたもんだ。自由な黒んぼはこの州に来てから六か月たたねえうちは売れねえなんて、これでも政府と言えるのかい。自分じゃ政府だと言って、政府面をして、政府のつもりでいるが、まる六か月も石の地蔵さんをきめこんだあとでなきゃ、白シャツの自由な黒んぼのコソ泥のちきしょうをとっつかめえて——」

とうちゃんはそうやってしゃべっているうちに、年とった弱い足がどこを歩いているのかわからず、下のほうがすっかりおるすになって、塩づけの豚肉を入れたたるにぶつかってひっくり返り、両足のすねをすりむいた。それからあとのおやじの悪態ときたら、ものすごいのなんのって——だいたいは黒んぼと政府にかみついていたが、その途中で、ときどき、たるのほうにもほこ先を向けた。最初は右のすねを押さえて左の足で、次には左のすねを押さえて右の足で、というふうに交代して、部屋じゅうを跳びまわったあげく、いきなり左足を出して、たるをめがけて猛烈な一撃を加えた。でも、それはいい考えじゃなかった。だって、左の靴は前に穴があいていて、指が二本つき出ていたんだもの。そこでおやじは、聞くだけで身の毛がよだつほどの大声をあげて、地面にばったり倒れ、足の指を押さえてころげまわった。そのときわめいた悪態といったら、それ以前のどれも負かすくらいすごいものだった。おやじは、あとで、自分でもそう言っていた。おやじは、ソーベリ・ヘイガンじいさんの全盛期の悪態を聞いていたが、この日の悪態はそれ以上だと言った。でも、それはちょっとオーバーな言い方じゃねえかな。

晩めしのあとで、とうちゃんはウイスキーのびんを取り上げて、これなら、酔っぱらい二人とアル中を一人製造するくらいたっぷりあると言った。それがいつもの口ぐせなんだ。おらは、一時間もすれば、とうちゃんはへベレケに酔っぱらうだろうから、そしたら、鍵を盗むか、のこぎりで穴をあけてぬけ出るか、どっちかにしようと思った。とうちゃんは、むちゃくちゃに飲んで、やがて毛布の上にひっくり返った。でも、運はおらのほうにまわってこなかった。とうちゃんは、ぐっすり寝こまないで、落ち着きがなかった。長いあいだ、うなったり、うめいたり、こっちへごろごろ、あっちへごろごろしていた。しまいにおらは、ねむくてねむくて、どうしても目があいていられなくなった。そして、自分でも気がつかないうちに、ろうそくをつけたまま、ぐっすり眠っていた。

どのくらい眠っていたか知らねえけど、いきなりものすごい叫び声が聞こえたので、おらは目をさました。見るととうちゃんが、気ちがいみたいになって、あちこちピョンピョン跳びながら、ヘビがどうとかいってわめいていた。ヘビが何匹も足をはい上がってくると言ってみたり、跳び上がってギャッと叫びながら、一匹がほっぺたに嚙みついたなんて言ってたけど——どこにもヘビなんか見えなかった。それから、「取ってくれ！　取ってくれ！　ヘビが首に嚙みついてる！」

とわめきながら、部屋じゅうをぐるぐる走りはじめた。あんな気ちがいみたいな目つきの人間は見たことがねえ。まもなくとうちゃんは、くたくたに疲れて、ハアハア言いながらぶっ倒れた。それから、ものすごい早さでゴロゴロころげまわり、めったやたらに物を蹴ちらしたり、両手でなぐったり空をつかんだりしながら、大声をあげて、悪魔につかまえられた、なんて言ったりした。そのうちに、とうちゃんは、力を使いはたして、しばらくは、うめきながらじっと横になっていた。それから、ますますおとなしくなって、音ひとつ立てなかった。遠くの森の中でフクロウやオオカミの声が聞こえて、あとはシーンと静まりかえった。とうちゃんは、部屋のすみのほうで横になっていたが、やがて半分起き上がって、首を片方にまげて耳をすました。そして、いやに低い声で言った。

「パタ、パタ、パタ。死人の足音だ。パタ、パタ、パタ、おれのあとを追ってくる。行くもんか。ああ、やってきた！ さわるな、やめろ！ 手をはなせ――つめてえ。はなしてくれ――ああ、後生だから許してくれ！」

それからとうちゃんは四つんばいになって、許してくれと言いながらはって歩いた。そして、毛布をからだに巻きつけて、まだ許してくれと言いながら、松の板で作った古テーブルの下にころげこんだと思うと、こんどは泣きはじめた。毛布の中から泣き声が聞こえた。

やがてまたころがり出ると、気ちがいみたいにパッと立ち上がり、おらを見ると、とびかかってきた。おらのことを死神だと言って、二度と寄せつけないように殺してやるとわめきながら、折りたたみナイフを持って、部屋じゅうをぐるぐる追いまわした。おらは、ハックだよ、助けてくれと言ったけれど、とうちゃんは、キーキーいって笑ったり、大声で悪態をついたりして、どこまでも追っかけてきた。いちどは、さっとまわって、とうちゃんの手をよけようとしたときに、ぐっと押さえられ、上着の肩のあいだをつかまれて、もうだめかと思ったけれど、電光石火で上着をぬぎすてて、あやういところを逃れた。まもなくとうちゃんは、へとへとに疲れて、ドアにもたれかかってがっくりすると、しばらく休んでからやっつけてやると言った。とうちゃんは、ナイフを尻にしいた。そして、ひと寝いりして元気を取りもどしてから、白か黒かけじめをつけてやる、と言った。

まもなくとうちゃんは眠ってしまった。やがておらは、古い籐張りのいすを出して、できるだけ音を立てないようにそっとのぼって、鉄砲を下ろした。それから、込め矢をそっと押しこんで、弾丸がこめてあるのを確かめてから、先をとうちゃんのほうへ向けて、カブラのたるの上に鉄砲をおき、そのかげに腰をおろして、とうちゃんが身動きしたらと待ちかまえていた。その時間がすぎるあいだの、長くて静かなことといったら。

# 第七章

「起きろ！　なにしてるだ！」

おらは目をさますと、ここはどこかと思ってあたりを見まわした。もう夜が明けているのに、おらはぐっすり寝こんでいた。そばにとうちゃんが立って、おらを見下ろしていたが、仏頂面で、それに顔色もよくなかった。

「この鉄砲をどうしようてんだ？」

自分があんなにあばれたことを、けろっと忘てるらしいので、おらは言った。

「どろぼうがはいりそうになったから、待ち伏せしてたんだよ」

「どうしておれを起こさなかった？」

「起こそうとしたけど、だめだった。びくとも動かねえんだもん」

「よしわかった。そこで一日ベチャクチャしゃべってねえで、早く外へいって、釣り糸に朝めしの魚がかかってねえか見てこい。おれもすぐいくから」

やっと戸をあけてくれたんで、おらは飛びだして、土手を走っていった。川を見ると、木の枝やなんかが流れていて、木の皮も少しまじっていたから、そろそろ水かさが増してることがわかった。おらは、いま町のほうにいたら、面白くてたまんねえだろうと思った。六月の増水は、昔からおらの福の神だった。だって、その増水が始まるとすぐ、まき材が流れてくるし、丸太をつないだ筏(いかだ)も流れてくる――ときには一ダースも丸太がつながってることもある。こっちは、ただそいつをあつめて、材木屋や製材所へ売りさえすりゃいいんだ。

おらは、土手の上を川上のほうへ歩きながら、片目ではとうちゃんを、もう片方では増水で何が流れてくるかを見張っていた。さっそく、カヌーがひとつやってきた。三メートル以上もあるすばらしいやつで、水鳥みたいにスイスイ流れていた。おらは、着物もなにも着たまんま、カエルよろしく頭からザブンと飛びこんで、カヌーめがけて泳ぎだした。おらは、カヌーにだれかかくれてるんじゃねえかと思った。こいつは、人をからかうためによくやる手で、すぐそばまで舟をこぎよせたりすると、中のやつがひょいと起き上がって、こっちを笑い物にするんだ。でも、こんどはそうじゃなかった。まちがいなく流れカヌーだ。おらは、はい上がって岸までこいでいった。おやじがこれを見たらば、喜ぶだろうな、十ドルの値うちはあるもん、とおらは思った。だけど、岸まで来たとき、とうちゃんの姿はまだ見えなかった。おらはカヌーを、ブドウのつるや柳の枝がいっぱい垂れ下がって、谷間みたいになってる小川の中へ引っぱり込んだが、そのとき、また別の考えが頭に浮かんだ。カヌーをしっかりかくしておこう。そいで、逃げ出したら、森へは行かないで、八十キロばかり川を下って、どこか一か所にずっとキャンプしていよう。つらい思いをしてどんどこ歩いていくのはやめにしよう。そう思った。

そこは小屋のすぐそばだったんで、おやじの足音が聞こえやしねえかと、びくびくし通しだったが、やっとカヌーをかくした。それから飛び出して、柳の木の茂みの向こうを見ると、道を少し先へ行った所で、おやじが鉄砲で鳥をねらっていた。どうやら、なにも気がつかなかったらしい。おやじがやってきたとき、おらは、「流し釣り」の糸を引き上げるのに汗だくになっていた。おやじは、何をぐずぐずしてるんだと、少し文句を言ったが、おらは、川にはまっちまって、それでこんなに手間がかかったんだと言った。おらのからだがぬれてるのを見たら、きっとうるさくたずねるだろうと思っていた。釣り糸を上げたらナマズが五匹かかっていたんで、それを持って帰った。

朝めしを食うと、二人ともくたくたに疲れてたんで、ひと寝入りしようと横になったが、おらは、なんとかして、とうちゃんと後家さんがおらのあとを追わねえようにする方法はねえかと考えはじめた。そのほうが、運を天にまかせて、二人が気がつかねえうちに、ずっと遠くまで行こうなんて考えるより、ずっと安全だ。とにかく、何が起こるか分からねえからな。しばらくいい考えも浮かばなかったが、やがてとうちゃんが、ちょっと目をさまして、水をガブガブ飲んでから言った。

「まただれか近所をうろついてるやつがあったら、おれを起こすんだ、いいな、さっきの男も、どうせろくなやつじゃねえ。撃ち殺してやるんだった。こんどこそ起こすんだぞ、いいな」

そう言うと、とうちゃんは、またばったり横になって寝ちまった。だけど、その言葉を聞いて、おらの頭には、ちょうどいい考えが浮かんだ。よし、だれもおらのあとを追わねえようにする方法がわかった――おらはそう思った。

十二時ごろ、おらたちは起き上がって、土手を川上のほうへ歩いていった。川は水かさがかなりふえていて、流れに乗って材木がたくさん浮かんでいた。やがて、丸太の筏のちぎれたのが近づいてきたが、九本の丸太が結び合わされていた。おらたちは小舟をこぎ出して、筏を岸まで引っぱってきた。それから昼めしにした。とうちゃん以外の人ならだれでも、もっと獲物をつかまえようと思って、一日かけてねらっていただろうけど、とうちゃんのやり方はそうじゃなかった。いっぺんに丸太が九本も手にはいれば、それでたくさんだった。すぐに町へ出かけていって売らなければ気がすまねえんだ。そこでとうちゃんは、三時半ころ、おらを小屋へとじこめて、小舟に乗ると、筏を引っぱって町へ向かった。その晩は帰ってこねえだろうと、おらは思った。かなり先へ行ったころまで時間をおいてから、おらは、のこぎりを取り出して、また丸太を切る仕事にとりかかった。とうちゃんが向こう岸まで着かねえうちに、おらは穴からはい出していた。とうちゃんと筏は、ずっと向こうの水の上に、ほんの点くらいに小さく見えた。

おらはトウモロコシ粉の袋を持って、カヌーをかくした所まではこぶと、ブドウのつるや木の枝を押し分けて、カヌーの中に入れた。わき肉のベーコンも同じようにしてはこんだ。それからウイスキーのびんもだ。コーヒーと砂糖もあるだけ、弾薬も全部いただいた。銃の詰め物も忘れなかった。バケツとひょうたんも入れ、ひしゃくとブリキのコップも、古のこぎりと二枚の毛布も、フライパンとコーヒーポットも入れた。釣り糸やマッチや、そのほか、ちょっとでも役に立つ物はなんでもみんなはこんだ。小屋じゅうごっそりかっさらっちまった。おのもほしかったけど、外の薪の山のところにあるのしかなかった。このおのを置いていくには、わけがあったんだ。最後に鉄砲を持ち出して、これでおしまいだ。

穴からはい出したり、いろんな物を引っぱり出したりしたんで、地面がすっかり荒れちまった。それで、外から土をばらまいて、すべすべになった所やおがくずのあとが見えねえように、できるだけうまくかくした。それから、切った丸太をもとの場所にはめこんだけれど、そこの所が上向きになって、地面にぴったりくっつかねえんで、石を下に二個入れて、外からも一個あてがって押さえつけた。一、二メートル離れて見れば、のこぎりで切ったとはだれも思わねえし、まるで気がつきもしなかった。それに、そこは小屋の裏がわで、だれもそんなとこまでノコノコいくやつなんかいそうもねえや。

カヌーのとこまで、ずっと草が生えていたんで、足あとは全然残さなかった。ずうっと歩いて調べたんだ。おらは、土手に立って川の向こうまで見渡した。だいじょうぶだ。そこでおらは、鉄砲を持って森の中へ少しはいっていった。鳥がいねえかとさがしまわっていたら、野生のブタを見かけた。草原の農家から逃げ出したブタは、川っぷちの低地ですぐに野生になっちまうんだ。おらは、こいつを撃ち殺して小屋まで引っぱってきた。

おらは、おのでもって、ドアをぶっこわした。めちゃくちゃにぶったりたたいたりして、こわ

した。それからブタをはこびこむと、テーブルのそばまで引っぱっていって、おのをのどにぶちこんで、血が流れるまま地面に置きざりにした――かちかちの地面ったけど、ほんとに地面なんだ――地面て言で、板なんか敷いてねえ。こんどは、古い袋を出して、大きな石をいっぱい詰めこんだ。やっと引っぱれるくらい詰めこむと、ブタの所を出発点にして戸口までひきずり、それから森の中を通って、川っぷちまではこんで、川の中へほうりこんだ。ブクブク沈んで消えちまった。地面を何か引っぱっていったあとが、見ればすぐわかった。そこにトム・ソーヤーがいればよかった。あいつなら、こういうことが大好きで、人をアッと言わすような手を考えるだろうに。こういったことにかけちゃ、トム・ソーヤーくらい夢中になるやつは、ほかにだれもいねえや。

最後におらは髪の毛を少し抜いて、おのに血をべったりつけると、その裏側に髪の毛をくっつけて、部屋のすみにほうり投げた。それからブタを持ち上げると、血が垂れねえように上着で胸のとこに支えて、家からだいぶ川下まで持っていって、川の中へほうりこんだ。そのとき、また思いついたことがあったんで、カヌーのそばまで行って、粉の袋と古のこぎりを取り出すと、家まで持っていった。袋は、もとあった所まではこんで、底におので穴をあけた。家には料理用のナイフもフォークもなくて、とうちゃんは、めしの支度はなんでも折りたたみナイフでやっていたんだ。それから、おらは、粉の袋をかついで、家から東のほうへ百メートルばかし、草地や柳の木の茂みをぬけて、浅い湖のとこまで来た。幅が八キロばかしの湖で、イグサがいっぱい生えてて、その時期になると、カモもやってくるみてえな場所だった。その裏側からは、どぶみてえな小川が流れ出て、何キロも続いていたが、行く先はどこだかわからねえ。川にそそいではいなかった。袋の粉がこぼれて、湖のとこまでずっと線を引いて続いていた。とうちゃんの砥石(といし)をそこへ置いて、ひょいと落としたみてえにした。それから、粉の袋の裂け目を糸でしばって、もうこぼれねえようにしてから、のこぎりといっしょに、またカヌーまで持って帰った。

そろそろ暗くなってきたもんで、おらは、カヌーで川を下って、土手から垂れ下がっている柳の下にかくれて、月の出を待った。カヌーは柳にしっかり結んでおいた。それから、ちょっと腹ごしらえすると、カヌーに横になって、パイプをふかしながら計画を立てた。みんなは、あの石の袋を引きずった跡をつけて、岸まで着いてから、川ざらえをしておらをさがすだろう。それから、れいの粉のあとを追って湖までくると、そこから流れ出ている小川をゆっくり下って、おらを殺して品物を盗んだ泥棒たちをさがすだろう。川をさがすにも、おらの死体以外のものは見向きもしめえ。やがて、それにもあきちまうと、あとはもうおらのことはかまわねえようになる。ようし、そしたらおらは、どこでも好きな所へ舟を止められる。ジャクソン島がおあつらえむきだ。あの島ならよく知ってるし、あんなとこへはだれも来やしねえ。そして、夜になったら町へこいでいって、こっそり歩きまわって欲しい物を拾い集めればいい。よし、ジャクソン島にきめた。

おらは、だいぶ疲れていたんで、いつのまにか寝こんでいた。目がさめても、しばらくはどこにいるのかわからなかった。ちょっとおっかなくなって、起き上がってあたりを見まわした。そのうちに思いだした。川の幅は何キロだか見当もつかねえくらい広かった。月の光が明るくて、岸から何百メートルも沖を、流木が、黒くかたまって音もなく流れていく、その数がかぞえられるくれえだった。何もかも死んだようにしんとして、夜もふけたみてえだった。夜のふけた「匂い」がした。ほかにうまく言えねえけど、わかるだろ。

おらは、思いきりあくびと背のびをしてから、カヌーの結び目をほどいて出発しようとした。ちょうどそのとき、水面の向こうから何だか音が聞こえてきた。おらは耳をすました。何の音だか、すぐにわかった。それは、静かな晩に、オール掛けのとこでオールが動くときに出る、にぶいような規則正しい音だった。柳の枝のあいだからすかして見ると、やっぱしそうだ――ずっと向こうの水面に小舟が見えた。人が何人乗ってるかは、わからなかった。それがだんだん近づいて、すぐそばまで来たのを見ると、中にはたった一人しかいなかった。まだとうちゃんが来るとは思ってなかったが、でも、どうやらとうちゃんらしい。その人は流れに乗って、おらより下流を走っていたが、やがて舟を岸のほうにまわして、緩い流れにはいった。おらのすぐそばを通っていったんで、鉄砲を差し出せば男のからだにさわれるくれえだった。やっぱし思った通り、とうちゃんだった。しかも、オールのこぎっぷりから見ると、酒を飲んではいなかった。

ぐずぐずしちゃいられねえ。すぐにおらは、土手のかげにかくれながら、音を立てねえようにすばやくこいで、全速力で川を下った。四キロばかり行ってから、五百メールくらい岸をはなれた。もうすぐ船着き場のそばを通るんで、人に見られて声をかけられるといけねえと思ったからだ。おらは、流木のあいだにカヌーを入れて、それから舟底に横になって、流れに身をまかせた。横になったままゆっくり休んで、パイプで一服やりながら、雲ひとつねえ空をのぞきこんだ。月の光をあびて仰向けに寝たまま見上げる空は、えらく底が深いもんだ。いままで、そんなことは気がつかなかった。また、こんな晩には、ずいぶん遠くの音まで聞こえるもんだな。船着き場でだんだん昼が長くなって、夜が短くなったなあって言うと、もうひとりが、今夜はあんまり短くしゃべってる人の声が聞こえる。言ってることが、ひとこと残らず聞こえるんだ。ひとりの人が、ねえぜって言って、それで二人は笑って、その人が、もう一度同じことを言って、また二人で笑った。それから二人は、もうひとりの人を起こして、その話をして笑ったけれど、起こされた人は笑わなかった。何か大きな声でどなると、うるせえと言った。最初の男は、女房にこの話をしたら、すごく面白がるだろう、だけど、昔おれが若いころにした話にくらべれば、こんなのは物の数じゃねえと言った。ひとりの男が、もうそろそろ三時だが、まさか夜明けまで一週間も待たされるわけじゃあるめえな、と言うのが聞こえた。それから後は、話し声もだんだん遠くなって、もう言葉も聞きとれなくなった。ブツブツいう声や、ときどき笑う声は聞こえたが、それもずっと遠くのほうみたいだった。

もう船着き場もだいぶ過ぎたんで、起き上がってみると、四キロばかり川下にジャクソン島が見えた。木がいっぱい茂って、でっかくて黒くてがっちりした島が、川のまん中につっ立ってるところは、まるで明かりを消した汽船みてえだった。島のとっ先の砂州は、まるっきり見えなかった――もうすっかり水の下にかくれちまったんだ。

島へ着くのに時間はかからなかった。川の流れがすごく早いんで、島のとっ先はあっというまに通りすぎちまった。それから、流れのねえ所へはいって、イリノイ側の岸に上がった。土手がぐっとえぐれてるとこを知ってたんで、そこへカヌーを引っぱりこんだ。柳の枝を押し分けてはいらなきゃならなかった。おらがカヌーを結びつけてるのを、だれも外から見ていた気づかいはねえだろう。

おらは、島のとっ先までいくと、丸太に腰かけて、でっかい川とまっ黒な流木とをながめていた。五キロばかし離れた遠くの町のほうを見ると、明かりが三つ四つちらちら光っていた。ものすごくでっかい材木筏が、まん中にカンテラをつけて、一キロ半ばかし川上から下ってきた。そいつがだんだん近づいてくるのをじっと見ていると、おらの立ってる所と並ぶあたりまで来たときに、ひとりの男が、「おーい、船尾(とも)のオールよう、へさきを右にまわせ！」と言うのが聞こえた。まるでその男がおらのすぐそばで言ってるみてえにはっきりと聞こえた。

もう空がぼんやり明るくなりかけていた。そこでおらは森の中へはいって、朝めし前にひと寝入りしようと横になった。

# 第八章

目をさましたとき日がだいぶ高かったんで、もう八時すぎだろうと思った。おらは、涼しい木陰の草の上に横になって、いろんなことを考えていたが、心もからだも安まって、いい気持だった。一つ二つ穴があいている所から太陽が見えるほか、あとは一面に大きな木ばっかりで、その中はぼんやり暗かった。木の葉のあいだから光がもれて、地面にまだら模様ができていたけれど、まだらになった場所が少しずつ動くんで、上のほうでは少し風が吹いていることがわかった。リスが二匹木の枝から、おらのほうを向いて馴れなれしくチイチイ鳴いた。

からだがいやにだるくって、いい気持で、起きて朝めしの支度をする気になれなかった。それでまたとろとろしていると、ずっと川上のほうで「ドーン！」という太い音が聞こえたような気がする。起き上がって、片ひじついて耳をすますと、まもなく、また同じ音が聞こえる。おらは跳び上がって、木の葉のすきまのとこまでいってのぞいてみると、ずっと川上の、船着き場と並

ぶあたりの水の上に、煙がかたまって浮かんでいるのが見えた。それから、人がいっぱい乗っかった渡し船が、ゆっくり川を下ってきた。やっとおらにもわけがわかった。「ドーン!」渡し船のどてっ腹から白い煙がもくもく出る。そうだ、川の中へ砲弾をぶちこんで、おらの死体を浮き上がらせようとしてるんだ。

おらは腹ぺこだったけれど、煙が見つかるといけねえから火をおこすわけにはいかなかった。そこでおらはすわったまま、大砲の煙を見たり、ドンという音を聞いたりしていた。そこらへんの川幅は一キロ半もあって、夏の朝にはいつ見てもいい眺めだ――そいでおらは、しごくいい気持で、みんながおらの死体探しをやってるのを見ていたが、これで食い物さえあれば言うことはなかった。そのときおらは、パンのかたまりに水銀をつめて水に流すと、かならず水死体のほうへ進んでいって、そのそばで止まるというんでそうすることを、ひょいと思い出した。よしそれなら、よく見張っていて、一つでもパンがおらのあとをつけて流れてきたら、ひとつ鼻をあかしてやろうと思った。おらはイリノイ側の川っぷちに場所をかえて運だめしをしてみたが、ねらいははずれなかった。でっかい二つ山のパンが流れてきたんだ。長い棒を使って、もう少しで手に入れるところだったが、足がすべったんで、パンは遠くへ流れちまった。もちろんおらは、川の流れが岸にいちばん近く寄ってる所に立っていた――そのくれえは知っているさ。やがてまたべつのパンが流れてきて、こんどはうまくいった。おらは詰め物を取り出して、ちっちゃな水銀の玉をふるい落とすと、ガブリとかみついた。金持ちなんかが食う「パン屋のパン」てやつで、けちなトウモロコシパンなんかじゃなかった。

おらは、木の葉のあいだからのぞくいい場所を見つけて、丸太に腰かけてパンをムシャムシャやりながら、渡し船をながめて、すっかりごきげんだった。そのとき、ひょいと頭に浮かんだことがあった。考えてみると、後家のおばさんか牧師さんかだれかが、このパンがおらを見つけますようにって祈ったんだろうけど、その通りちゃんと見つけたじゃねえか。してみると、お祈りってやつが当たることもたしかにあるんだ。ただし、そりゃ、おばさんとか牧師さんとかいう人が祈ったとき当たるんで、おらじゃうまくいかねえ。これぞっていう人だけしか、うまくいかねえらしい。

おらはパイプに火をつけて、ゆっくり一服しながら、監視を続けた。渡し船は流れに乗ってやってきたんで、今にパンが流れついたあたりまで近づいてくるだろうから、そばまで来たら、だれが乗ってるか見られるかもしれねえと思った。船がだいぶこっちに近よってきたとき、おらはパイプの火を消して、パンをすくい上げた所までいくと、土手の上のちょっとした空地にある丸太のかげに横になった。丸太がふたまたに分かれたあいだから、向こうがのぞいて見えた。

やがて船がやってきたが、岸のすぐそばまで流されたんで、板を出せば歩いて岸へ上がれるくらいだった。ほとんどみんな船に乗っていた。とうちゃんに、サッチャー判事さんに、ベシー・サッチャーに、ジョー・ハーパーに、トム・ソーヤーとポリーおばさんに、シッドとメアリー、そのほか大勢いた。みんな人殺しの話をしていたが、船長がそれをさえぎって言った。

「さあ、よく見るんだ。ここは流れが岸にいちばん近く寄っているから、ひょっとすると死体が打ち上げられて、水ぎわのかん木にひっかかっているかもしれない。そうあることを願う」

こっちはそんなこと願わなかった。みんなはかたまって、ほとんどおらの目の前で、船べりから身をのり出すと、じっとしたまま、目を皿のようにして見つめていた。おらのほうでは、それがとてもよく見えたが、向こうからこっちは見えねえんだ。そのうちに船長がどなった。

「さがれ！」それとともに、おらの目の前で、すごい勢いで砲弾が破裂したんで、耳はつんぼになるし、煙で目がつぶれそうになるし、もうだめかと思った。もし何発か弾丸がこめてあったら、みんなのお望みの死体が手にはいったかもしれねえ。見ると、ありがてえことに、傷ひとつなかった。船は流れを下って、島の肩をまわると、見えなくなった。まだときどき、ドンドンという音が聞こえたが、やがて一時間たつと、それももう聞こえなくなった。島の長さは五キロたらずだった。船は島のはずれまできて、もうあきらめかけたものとおらは思った。ところが、まだまだだった。島のはずれをまわった船は、蒸汽の力でミズーリ側の水路を上がってきて、そのあいだに時どきドンドンとやっていた。おらもそっちの側へ移って様子をうかがった。船は、島のとっ先あたりまで来ると、大砲をうつのをやめて、ミズーリ州の岸のほうへ移って町へ帰っていった。

おらは、これでだいじょうぶだと思った。もう、ほかにおらを探しに来る者はだれもあるめえ。おらは、持ち物をカヌーからはこび出して、森の奥深くに上等な寝ぐらを作った。まず毛布でテントみてえなものを張って、雨が降っても持ち物がぬれねえようにした。それからナマズを釣って、のこぎりで腹を裂いた。それから日が暮れるころにたき火をたいて晩めしを食べた。それから朝めしの魚をとるための釣り糸を仕掛けた。

日が暮れると、おらは、たき火のそばにすわって一服やって、じつにいい気持だった。ところがそのうちに、だんだんさみしくなってきたんで、土手の所へいって腰をおろして、川の波が岸にぶつかる音を聞いたり、星や流れてくる丸太や筏の数をかぞえたりしてから、寝床にはいった。さみしくなったとき時間をつぶすには、これがいちばんいいんだ。いつまでもさみしいなんてことはねえ。すぐに忘れられる。

そんなことで三日三晩が過ぎた。同じことのくり返しで、なにもちがったことはねえ。でもその次の日には、もっと足をのばして、島じゅうの探検にとりかかった。おらが島のボスで、島全体がおらの持ち物みてえなもんだから、島のことはすみからすみまで知りてえと思った。でも、おらのいちばんのねらいは時間つぶしだった。熟した上等のイチゴがうんとあった。それから青いナツブドウに青いキイチゴ。青いクロイチゴもちょうど出はじめていた。こいつらがそのうちに役に立つだろうとおらは思った。

さて、森の奥深くぶらぶら歩いていくうちに、島のはずれまでいくらもないと思う所まできた。おらは鉄砲を持っていたが、何も撃たなかった。身を守るために持っていたんで、もっとテントの近くへ来てから獲物を殺そうと思っていた。そのとき、もう少しでかなり大きなヘビをふんづけそうになった。ヘビは、草や花の中をスルスルぬけていった。おらは、撃ってやろうと思ってあとを追っかけた。どんどん進んでいくうちに、いきなり、たき火の灰がまだ煙を出してる所へばったり飛びこんじまった。

思わず心臓がのどまでとび上がった。それ以上ぐずぐずして探すのはやめにして、鉄砲の打ち金をはずすと、つま先でこそこそと、できるだけ早く逃げ帰った。ときどき、葉が茂っている所でちょっと止まって、耳をすましたけれど、自分の息があんまりハアハアいうもんで、ほかの音はなんにも聞こえなかった。もうちょっと先へ行っては、また耳をすまし、もうちょっと行っては、をくりかえした。木の株を見ると人間にまちがえた。棒をふんづけてパチンと折ると、まるでだれかがおらの吸う息を半分にちょん切って、おらはその小さいほうの半分しか吸えねえみてえな気がした。

テントのとこまで戻っても、あんまり元気は出なかったし、臆病風もまだ吹きやんではいなかった。でも、これ以上モタモタしちゃいられねえ。そこでおらは、荷物を全部またカヌーにはこんで人目につかねえようにしてから、火を消したり灰を散らかしたり、去年のキャンプのあとみたいに見えるようにして、それから木に登った。

木の上には二時間もいたけれど、なんにも見えなきゃ、なんにも聞こえねえ――ただ、数えきれねえ音が聞こえたり、物が見えたりしたような気がしただけだ。いつまでもそんな所にいられねえから、しまいに降りてきたけれど、森の奥に引っこんで見張りを続けていた。食ったものといっちゃ、イチゴと朝めしの残り物だけだった。

夜になると、すごく腹がへってきた。それで、すっかり暗くなってから、月が上らねえうちにそっと岸からこぎ出して、イリノイの土手へ渡った——四百メートルばかしあった。おらが森の中へはいって、晩めしを作って、その晩はそこで寝ようと決心しかけていたそのときに、パカパカパカパカという音が聞こえてきた。馬が来るぞと思ってるうちに、こんどは人の話し声が聞こえた。おらは荷物を全部できるだけ早くカヌーにはこんでから、様子をさぐりに森の中へはいっていった。いくらもいかねえうちに、男の声が聞こえた。

「ここらにいい場所があればキャンプしよう。馬もへたばってるからな。いい場所を探そう」

おらは、ぐずぐずできねえと、カヌーを押し出して、スイスイこいでいった。またもとの所へカヌーをつないで、その中で寝ようと思った。

あんまりよく寝られなかった。どうしてだか、考えごとが邪魔して寝られなかった。目がさめるたんびに、だれかに首根っこをつかまれてるような気がした。これじゃ、眠ってもしようがなかった。やがておらは思った。こんな暮らしは続けられねえ。おらのほかにこの島にいるのはだれだか見つけてみよう。ぜったい見つけてやるぞ。そう思ったら、たちまち気がらくになった。

そこでおらは櫂(かい)をとって、岸からほんの一、二歩離れるまでこいで、あとはカヌーが木の陰(かげ)をえらんでしぜんに流れるままにしておいた。月が照っていて、木の陰の外はまるで昼みたいに明るかった。そうやって一時間近くもふらふら流されていたけれど、何もかも岩みてえにじっとして眠ったまんまだった。さてそのうちに島のはずれあたりにたどりついた。さらさらと涼しいそよ風が吹きはじめたが、それはもうそろそろ夜も終わりというしるしだった。おらは櫂を使ってカヌーの向きを変え、へさきを岸につけた。それから鉄砲を持って、そっとカヌーから出ると、森のへりへはいっていった。そこで丸太の上に腰かけて、木の葉のあいだからすかして見た。どうやら月の出番が終わって、交代に暗闇が川をおおいはじめていた。でも、しばらくするとこずえの上に青白い筋みてえなものが見えたんで、夜明けが近いことがわかった。それで、鉄砲を持って、一、二分ごとに立ち止まって耳をすましながら、前にぶつかったたき火のあるほうへ、そっと歩いていった。だけど、なんだか運がわるくて、どうもその場所が見つからなかった。でも、まもなく、思った通り、遠くの木のあいだに、火がちらっと見えた。おらは、用心しながらゆっくりそこへ向かっていった。やがてすぐそばまで来たので見ると、地面にひとりの男が横になっていた。おらは、きもっ玉がぶっつぶれそうになった。頭に毛布をひっかぶっていたが、その頭がたき火にくっつきそうになっていた。おらは、二メートルたらず離れたやぶのかげにすわって、じっと男の様子を見ていた。もう、うすぼんやり夜が明けかけていた。まもなく男は、あくびしたり背のびしたりしてから毛布をはねのけた。見ると、ミス・ワトソンとこのジムだった。ここで会えてほんとにうれしかった。

「やあ、ジム！」おらはそう言って飛びだした。

ジムは、はね上がって、気ちがいみてえな目つきでおらを見つめた。それから、ぺったりひざをついて、両手を合わせると言った。

「命ばかりはお助け――お助け。あっしゃ、幽霊に手出しをしたこたあねえだ。あっしゃ、昔から死人は大好き(でぇ)きで、できるだけのとむらいはしただよ。おめえの家は川の中だから、早く川へ戻って、昔から仲よしだったジムじいやの命は助けてくだされ」

おらが死人じゃねえことを、ジムに分からせるに手間はかからなかった。おらはジムに会えてほんとにうれしかった。もうさみしいこともなくなった。おらはジムに、おめえがおらの居どころをみんなに教えるなんて思っちゃいねえ、と言ってやった。おらがしゃべってるあいだ、ジムはただそこへすわったきり、おらのほうを見て、ひとことも口をきかなかった。それから、おらは言った。

「すっかり明るくなった。朝めしにしよう。しっかり火をおこしてくれ」

「イチゴとか、そんなくずみてえなもんを食うのに、火をおこしたって仕方あるめえ。それより、おめえさん、鉄砲を持っていなさるな。そんならイチゴよりはましなもんが食えるだな」

「イチゴとか、そんなくずだって？　おめえそんなもの食ってたのか」

「ほかに何もなかっただよ」

「ジム、おめえ島へ来てどのくらいになるんだ」

「おめえさんが殺されたあとの晩にここへ来ただよ」

「え、あれからずっとか？」

「ああ、そうだで」

「そのあいだ、そんなくずみてえなもんしきゃ食ってなかったのか？」

「へえ――それっきりだで」

「それじゃ、腹がへって死にそうだべ？」

「馬の一匹も食えってば食うだ。ほんとだで。おめえさんはこの島へ来てどのくれえになるだね？」

「おらが殺された晩からよ」

「まさか！　いってえ何を食って生きてただ？　でも、おめえさんは銃を持ってる。ほんとに、銃を持っていなさるだ。さあ、何か撃ち殺してくれたら、あっしが火をおこすべえ」

そいでおらたちはカヌーのある所までいった。ジムが森の中の草の生えた空地で火をおこしているあいだに、おらは、粉とベーコンとコーヒー、コーヒーポットとフライパン、それに砂糖とブリキのコップを持ってきた。ジムは、これがみんな魔法のわざだと思って、すっかりどぎもを抜かれた。そのほかおらは、かなりでかいナマズを釣ったので、ジムがナイフで臓物(わた)をとってフライにした。

朝めしができあがると、おらたちは草の上へゆっくりすわって、できたてのホヤホヤを食った。ジムは腹ぺこで死にそうだったもんで、夢中になってつめこんだ。やがて二人ともたらふく食ったあと、のんびりひと休みした。

そのうちにジムが言うことには、

「だけどよお、ハック、あの小屋で殺されたのがおめえさんじゃねえとすると、いってえだれだっただね？」

そこでおらが何から何まで話してきかせると、ジムは、うまくやったと感心した。トム・ソーヤーだって、おらが考えたよりうめえ計画はできなかっただべとさ。それからおらは、

「ジム、おめえ、どうしてこんなとこへ来たんだ？ どうやってここまで来た？」とたずねた。ジムはひどく落ち着かねえ様子で、しばらくは口もきかなかったが、やがて、

「言わねえほうがいいかもしんねえ」

「どうしてだ？」

「まあ、いろいろわけがありますだ。でもよ、ハック、あっしが話しても、告げ口なんかしねえだな？」

「そんなことするもんか」

「その言葉を信じるだよ、ハック。あ、あっしゃ、逃げ出しただ」

「ジム！」

「いいか、ハック、おめえさんは告げ口しねえって言った——たしかに告げ口はしねえって言っただぞ」

「言ったさ。しねえって言った以上は、それを守る。ぜったい守るさ。みんながおらのことを、

やくざな奴隷廃止論者だといったり、見て見ねえふりをしたからって笑い者にしたって、そんなこたあどうだってかまわねえ。告げ口はしねえ。どっちみち、おらは、もう町へは帰らねえつもりだ。だから、残らずわけを話してくれ」

「そんじゃ言うけど、こんなわけだ。おかみさん、つまりミス・ワトソンは、しょっちゅうガミガミ言って、あっしをこき使っていたけんど、オーリンズへ売っとばしたりはしねえって、いつも言っていなさった。だけど、このごろ見てると、奴隷商人がやたらうろちょろしてるだで、あっしゃ心配になりだした。そのうち、ある晩、夜もふけたころ、戸口まではっていくと、戸がよくしまってねえで、おかみさんが後家さんに、あっしをオーリンズへ売っとばすつもりだって言ってるのが聞こえた。売りたかねえけど、売れば八百ドルになるで、そんな大金をみすみすあきらめられねえだと。後家さんが、そんなことはしねえとおかみさんに言わせようとしてただが、あっしゃ終わりまで聞いちゃいられなかった。そのまま飛び出しちまっただよ」

「つっ走って坂をかけ下りると、どこか町より川上の岸で小舟を盗むべえと思ったけんど、まだ人が出歩いていたもんで、土手にあるぶっこわれたおけ屋の仕事場にかくれて、みんながいなくなるのを待ってただ。そこにひと晩じゅういたけんど、いつもだれかしら人がいた。朝の六時ごろには小舟が通りはじめただが、八時か九時ごろには、通りすぎる舟の人がみんな、おめえさんのおやじが町へやってきたことと、おめえさんの殺された話をしていただ。あとから来た舟は、現場を見にいく奥さまや旦那衆でいっぺえだった。時には、川を渡る前に、岸に舟を止めてひと休みする人もあるだで、その衆の話を聞いて、殺されたいきさつもすっかり分かっただ。ハックよ、おめえさんが死んだと聞いて、あっしゃ、ひどく胸が痛んだが、今はその痛みもなくなったで」

「あっしゃ、いちんちじゅう、おがくずをかぶってかくれてた。腹はへってたけんど、こわくはなかった。そのわけは、おかみさんと後家さんは、朝めしを食べるとすぐ野外集会(メソジスト派などの行なう野外の宗教的集会)に行って、いちんち帰りなさらねえし、あっしのことは、夜明けごろ牛を連れて出かけたら、どうせ家にはいねえことを知っていなさるから、夕方暗くなるまではあっしのいねえことに気がつく心配はねえだ。ほかの使用人どもときたら、目ざわりな年よりがいなくなるが早え(はえ)か、すっとんで遊びにいっちまうから、あっしのいねえことなんか分かりやしねえ」

「そこであっしゃ、日が暮れると飛びだして、川っぷちの道を三キロあまり、人家がなくなるまで歩いていっただ。それからどうするか、もう考えは決まってた。歩いて逃げるばかしじゃ、犬にあとをつけられるし、小舟を盗んで川を渡れば、舟がねえのに気がついたやつらが、あっしが向こう岸のどこに上がったかをかぎつけて、足あとをたどってくるにきまってるだ。そこで考えたのは、筏をさがすに限るってことだ。筏なら足あとは残さねえ」

「そのうちに、岬の向こうから明かりが一つ近づいてくるのが見えたで、あっしゃ川へ飛びこんで、丸太を前へ押し出すと、川のまん中より先まで泳いだだ。そこで、流木の中へもぐりこむと、頭を低く下げて、流れに逆らうみてえに泳いで、筏が来るのを待った。それから、筏の船尾(とも)

のとこまで泳いでいって、つかまった。空が曇って、しばらくあたりが暗くなったんで、はい上がって板の上に横になった。乗り手はずっと向こうの、筏のまん中あたりの、明かりのある所にいた。水かさが増して流れもだいぶ早かった。そこであっしゃ、朝の四時ごろまでには四十キロも下るべえから、そしたら、夜が明けるちょっと前にとびこんで、イリノイ側の岸まで泳いで森へ行くべえと思った」

「ところが、そうは問屋がおろさなかっただ。島のとっ先までもうちっとの所まで来たとき、ひとりの男が明かりを持って船尾のほうへやってきた。もうぐずぐずしちゃいられねえと思って、あっしゃ飛びこむと、島に向かって泳ぎだした。陸へ上がるのはどこでもいいだべと思っていたら、崖が急で、とても上がれねえ。もうちっとで島のはずれまでくるとこで、やっといい場所を見つけた。森の中にいってから考えただが、ああやって明かりを動かすんなら、筏に手を出すのはもうやめにすべえ。あっしゃ、帽子の中に、パイプとちっとばかし嚙みタバコとマッチを持っていただが、ぬれてなかったんで、助かっただ」

「それじゃ、おめえは今まで肉もパンも食ってなかったのか。どうしてドロガメをとらなかったんだ」

「どうしてそんなものがとれますだね？　そうっと近よってつかむってわけにはいかねえだし、石をぶつけてとるわけにもいかねえでねえか。だいたい、夜の夜中にはとれねえだし、昼間は土手にのこのこ出ていくわけにゃいかねえだよ」

「そりゃそうだな。ずうっと森の中にかくれていなけりゃならねえにきまってるだな。大砲をうってる音は聞こえたか?」

「聞こえたとも。それで、おめえさんのゆくえをさがしてることがわかっただ。ここの近くを通るのが見えた。あっしゃ、茂みのあいだから見てただ」

そこへひな鳥が何羽かやってきて、一、二メートルずつ飛んでは止まった。ジムは、それが雨の降る前ぶれだと言った。にわとりのひながそんな飛び方をしたときが雨の前ぶれだから、ほかの鳥のひなが同じ飛び方をしたときも同じだろうというんだ。おらがその鳥をつかまえようとしたら、ジムはいけねえと言った。そんなことしたら死ぬっていうんだ。ジムのおやじさんが、むかしひどい病気で寝ていたときに、だれかが鳥をつかまえたら、ジムのおばあさんが、おやじは死ぬと言って、その通り死んだそうだ。

それからジムは、昼めしに料理するものの数をかぞえると縁起がわるいから、かぞえちゃいけねえと言った。日が暮れてからテーブルクロスをふるっちゃいけねえのと同じだ。それからジムは、ミツバチの巣箱の持ち主が死んだらば、翌朝の日の出の前に、ミツバチにそのことを言ってやらねえと、ハチはみんなからだが弱って、仕事をやめて死んじまう、と言った。それからジムは、ミツバチはばかな人間を刺さねえもんだと言うが、おらはそれは信じねえ。だって、おらは何回も何回もやってみたけんど、ちっとも刺されたことなんかねえもの。

こういうことは、おらも今までに少しは聞いたことがあるけれど、全部というわけじゃねえ。

ジムは、いろんな前ぶれを何でも知っていた。たいがいのことは知ってると、自分でも言っていた。前ぶれといっても、みんな縁起の悪いことばっかりみたいだったんで、ジムに、何か縁起のいいことはないのかってきいてみたらば、ジムが言うには、

「ほんの少ししかねえし、そんなものはなんの役にも立たねえ。縁起のいいことが起こるときに、何を知りてえだ？　いいことが起こらねえようになんて思うだか？」それから、こんなことも言った。「腕や胸の毛深い人は、いつか金持ちになるっていうしるしがあるだ。こういうしるしは、ずっと先のことを言ってるだから、むだにゃなんねえ。たとえば、はじめは長いあいだ貧乏でいなきゃなんねえとしても、いつかは金持ちになるっていうしるしさえわかっていれば、がっかりして自殺したりなんかしねえですむってわけだ」

「ジム、おめえの腕と胸は毛深いだか？」

「なんでそんなことをきくだ？　見たらわかるでねえか」

「そいで、おめえ金持ちか？」

「いいや、でも、もとは金持ちだったし、またいつか金持ちになるだ。あっしゃ、いちど十四ドルも持ってただが、相場に手を出してすっちまっただ」

「何の相場に手を出した？」

「まず株をやってみた」

「何の株だ？」

「四つ足の株、つまり牛だ。牛に十ドルかけてみただ。だけど、もう株に金をかけるのはやめにするだ。牛のやろう、おっ死んじめえやがった」

「それで十ドルすっちまったのか？」

「いや、全部ってわけじゃねえ。九ドルばかしすっただけだ。皮と脂が一ドル十セントに売れただから」

「それで五ドル十セント残ったわけだな。そのほか何かの相場に手を出したのか？」

「ああ、おめえ、ブラディッシュじいさんとこの、あの片足の黒んぼを知ってなさるけ？あいつが銀行をはじめてな、だれでも一ドルあずけた者は、一年たてば四ドルもらえるって言うだ。黒んぼどもがみんな押しかけたが、金はいくらも持っちゃいねえ。いくらか持ってるのは、あっしだけだった。そこであっしは、四ドルよりもっとよこせ、さもなけりゃこっちでも銀行をはじめるぞって言ってやった。その黒んぼのやろう、銀行を二つ建てるほど客はいねえなんて言うところを見ると、あっしを締め出してえにきまっているだ。それで、五ドルあずければ、一年たったら三十五ドル払うと言った」

「そこであっしはその通りにしただ。それからあっしは、その三十五ドルをもとでにして、すぐに金もうけをはじめようとした。ボッブてえ名の黒んぼがいて、主人の知らねえうちに、まきはこびの平底船を見つけて持っていた。あっしは、やつからその舟を買って、一年たったらその三十五ドルを受け取れって言ってやった。ところが、その平底船は、その晩だれかに盗まれちまうし、あくる日には片足の黒んぼが、銀行はつぶれたと言いやがった。だから、金をもらったやつはひとりもなかっただ」

「それでジム、あとの十セントはどうした？」

「それを使うべえと思ってたときに夢を見て、夢の中で、その金をバラムって名前の黒んぼにやれって言われた――みんなにバラムのあほうってあだ名で呼ばれてる、低能どもの仲間だがな。でも、やつは運がいいっていう話だし、あっしはどうも運がわるいだ。夢のお告げでは、バラムにその十セントをあずけてうまくまわせば、その金がふえるって言うだ。バラムはその金を持って教会へ行くと、牧師さんが、だれでも貧しい人にほどこしをする者は、神様に金を貸したと同じことで、かならずその金は百倍になって戻ってくるっていうのを聞いた。そこでバラムは、その十セントを貧乏人にくれてやると、いくらになって戻ってくるかとじっと待っていた」

「それで、いくらになって戻った？」

「いち文も戻りゃしねえ。とうとうその金は取り戻すことができなかっただ。バラムもだめだった。もうこれからは、担保がなければ、金を貸すのはやめにしただ。かならず金は百倍になって戻るなんて、牧師のやつめ。十セントさえ戻ってくりゃ公平で、なんの文句もねえだが」

「まあ、いいじゃねえか、ジム、いつかまた金持ちになるわけだから」

「うん――考えてみりゃ、あっしゃ、今も金持ちだ。八百ドルの値うちのある、このからだを持ってるだから。そんだけありゃ、もうそれ以上はよくばらねえだがな」

# 第九章

おらは、島のちょうどまん中あたりの、前に探検したとき見つけておいた場所へ行ってみたくなった。そこで、二人で出かけたが、長さ五キロたらず、幅四百メートルぽっちの島だから、すぐそこへたどりついた。

その場所ってのは、かなり長い尾根のあるけわしい小山で、高さは十二メートルくらいあった。かん木のいっぱい茂ったけわしい山腹を、てっぺんまで上がっていくのに、えらく骨が折れた。おらたちは、すみからすみまで歩きまわったが、やがて、イリノイ側のてっぺんに近い山腹に、岩がえぐれて大きなほら穴になってる所を見つけた。穴の中は、部屋を二つか三つくっつけたくらいの広さで、ジムがまっすぐに立てるくらいの高さがあった。中はひんやり涼しかった。ジムは、すぐに荷物をここへはこびこんだらいいと言ったが、おらは、しょっちゅう山を登ったり降りたりするのはいやだと言った。

ジムは、カヌーをいい場所にかくしておいて、荷物を全部ほら穴に入れておけば、だれかが島へ来たって、そこへ逃げこめばいい、犬さえいなけりゃぜったい見つかりゃしねえ、と言った。それからまた、やがて雨が降るって、あのひな鳥が言ったじゃねえか、おめえさんは品物をぬらしてえのかって言うんだ。

そこでおらたちは、もとの場所へ戻ってカヌーに乗ると、ほら穴に近い所までこいでいって、荷物を全部引っぱり上げた。それから、その近くの、柳がいっぱい生えているとこに、カヌーをかくすいい場所をさがし出した。釣り糸に魚がかかっていたのを取ると、また糸を仕掛けておいて、めしの支度にとりかかった。

ほら穴の入り口は、大だるをころがして入れられるくらい広くって、入り口の片方の床が少し突き出ていて平らだったんで、火をおこすのにちょうどよかった。だから、そこで火をおこしてめしを作った。

おらたちは、穴の中に毛布をじゅうたん代わりに敷いて、そこでめしを食った。ほかの荷物は、いつでも取れるように穴の奥へしまっておいた。やがて、あたりが暗くなったと思うと、ゴロゴロピカピカはじまった。やっぱり鳥が言った通りだった。すぐに雨が降りだしたが、ひでえどしゃ降りで、風もすごいったらなかった。正真正銘の夏のあらしだ。なかがすっかり暗くなったんで、そとは一面に濃い青みたいに見えて、きれえだった。たたきつけるみてえなどしゃ降りで、ちょっと先の森もぼんやりかすんで、クモの巣みてえに見えた。そこへビューッと風が吹きつけると、森の木がおじぎをして、葉っぱの裏っ側の白っぽいとこがおもてになる。そいつに輪をかけたすげえ風がゴーッとやってきて、木の枝は気が狂ったみてえに腕をバタつかせる。そのつぎには、そとの青がものすごく濃くなったと思ってると、パッとあたりが昼間みてえに明るくなって、何百メートルも先の、ふだんならまるで見えねえくらい遠くの木のこずえが、嵐にもまれて揺れてるのがちらっと見える。たちまちまた真暗闇にもどって、こんどはかみなりがバリバリっと破裂したと思うと、あとはゴロゴロゴロゴロと、まるでからっぽのたるが長い階段を、跳んだりはねたりしながらころげ落ちるみてえに、空の階段を地球の裏っ側まで落ちていくんだ。

「こいつは、いい気持だ、ジム」と、おら。「ここ以外のどこへも行きたくねえ。魚をもうひと切れと、熱いトウモロコシパンを少しとってくれ」

「このジムがいなかったらば、おめえさんも、ここにはいなかっただべ。めしも食わねえで、下の森ん中にいて、水びたしになって死にかけていただべ。それにちげえねえだ、な。雨の降りそうな時は、にわとりも知ってるだし、ほかの鳥たちも知ってるだよ、な」

川の水かさが、十日も十二日もどんどんふえ続けて、とうとう土手を越えてあふれた。水の深さは、島の低い土地や、イリノイ側の川っぷちの低地では、一メートルくらいにまでなった。川の幅も、イリノイ側では何キロだかわかんねえくらい広くなってたけど、ミズーリ側は前と同じ、つまり八百メートルだった。それは、ミズーリ側の川岸が高い崖の壁みたいになってたからだ。

昼間は、おらたちはカヌーで島じゅうをこいでまわった。外がカンカン照りのときでも、森の奥は日かげになっていて、すごく涼しかった。おらたちは、木のあいだを出たりはいったりしてぐるぐるまわったけど、つる草がいっぱい垂れ下がっているんで、後退してどこか別のほうへ行かなきゃなんねえこともあった。古い木がぶっ倒れてる上には、きまってウサギやヘビやなんかがいた。一日か二日、島じゅうが水びたしになったときは、ウサギは、腹がへってるもんだから、ばかにおとなしくなって、すぐそばまでこいでいって、頭をなでてやろうと思えばできるくれえだった。だけど、ヘビやカメはだめだ――水の中へするっと逃げちまう。おらたちのほら穴のある尾根なんか、こいつらがワンサといた。ペットが飼いたきゃ、あり余るくれえいたわけだ。

ある晩、おらたちは、材木筏の半欠け(はんか)をつかまえた。上等の松材だった。幅が四メートルたらず、長さが五メートルたらずで、がっしりした平らな床板が水面から十五センチも高く上がっていた。昼間はときどき製材用の丸太が流れてきたけど、おらたちは手を出さなかった。昼間は人目につかねえようにしてたんだ。

また別の晩の、もうすぐ夜が明けるころ、おらたちが島のとっ先へ来ていたときに、西側のほうを、木造の家が流れてきた。二階建ての家で、いいかげん傾い(かし)でいた。おらたちはカヌーをこぎ出して家のそばへつけると、二階の窓からもぐりこんだ。だけど、まだ暗くって中が見えねえんで、カヌーをしっかり家に結びつけてから、腰をおろして夜明けを待った。

島のはずれまで来ねえうちに明るくなりはじめたんで、窓からのぞいてみると、ベッドとテーブルと、おんぼろのいすが二つあるほか、床にいろんな物が散らばっていた。壁には着物がつるしてあった。ずっと奥のすみっこに人間みたいなものが横になっていたんで、ジムが、「ごめんなせえ！」って言ったが、びくともしなかった。

そこでおらもどなってみたが、やがてジムが言うには、

「あいつは眠ってるでねえ——死んでるだ。ここにじっとしてなせえ——あっしが見てくるから」

ジムは、そばでかがみこんで見ていたが、

「死人だよ、まちげえねえ。しかも、はだかだ。背中を撃たれてる。やられてから二、三日はたつべえ。来いよ、ハック。でも、顔は見るでねえ。ぞおっとするだから」

おらは、そっちを見向きもしなかった。おらは見る気がなかったもん。ジムは死人の上にぼろきれをほうり投げたけど、そんなことしなくてもよかった。おらは見る気がなかったもん。手あかのついた古いトランプが床いちめんに散らばっていた。ウイスキーの古びんと、黒い布で作った覆面があった。壁には、すみからすみまで、木炭で、およそくだらねえ文句や絵がびっしり描いてあった。その壁に、よごれたキャラコの着物が二枚と、日よけ帽子と、女の下着なんかがぶら下がってた。男の服も少しあった。おらたちは、こんなもんでも何かの役にたつかもしれねえと思って、カヌーに積みこんだ。おんぼろでしみだらけの男の子の麦わら帽が床の上にころがってたんで、こいつももらっておいた。それから、ミルクを入れるびんがあって赤ん坊が吸えるように布の乳首がはめてあった。このびんも持っていこうと思ったら、割れていた。がたがたの古だんすと、蝶つがいのはずれた古

い毛皮のトランクがあって、どっちもあけっ放しになってたけれど、中にはろくな物は残っていなかった。部屋の散らかり具合から見ると、家の人たちはあわてて出ていったみてえで、荷物をたくさんはこび出す間もなかったらしいや。

そのほか手に入れた物は、おんぼろのブリキのカンテラ、柄のとれた肉切り庖丁、どの店でも二十五セントはする新品の大型ナイフ、脂ろうそくひと山、ブリキのろうそく立て、ヒョウタン、ブリキのコップ、ベッドからはぎとった、きたねえぼろぶとん、針だのピンだの蜜蠟だのボタンだの糸だの、なんだかんだを詰めこんだハンドバッグ、おのと釘、でっかい釣り針のついた、おらの小指くらいの太さの釣り糸、シカ皮ひと巻き、革製の犬の首輪、馬蹄、レッテルのはってねえ薬びん——こんなもんだった。それから、出ていこうとしたときに、おらは、かなりいい馬ぐしを見つけるし、ジムは、ぼろっちいバイオリンの弓と義足の片っ方を見つけた。革ひもがとれちまってたけど、それ以外はしゃんとした足だった。ただし、おらには長すぎるし、ジムには短かすぎた。もう片っ方は、そこらじゅうさがしたけど、どうしても見つからなかった。

そんなわけで、ひっくるめてみれば、かなりの獲物があったわけだ。いざ出発というときには、島から四百メートルも川下に来ていて、あたりもすっかり明るくなっていた。そこでおらは、ジムをカヌーの中に寝かして、上にふとんをかぶせた。起きていたら、どんな遠くから見たって、黒んぼってすぐわかるもんな。おらは、イリノイ側の岸までこいでいって、そのまま八百メートルばかし流されていった。それから、土手の下の流れのねえところをそっとこいで上っていったけど、なんの事故もなかったし、だれにも会わねえで、二人とも無事にほら穴へたどりついた。

# 第十章

朝めしのあとで、おらは、その死人のことを話し合って、どうして殺されたのか考えてみたいと思ったが、ジムはいやだと言った。そんなことをすると縁起(えんぎ)が悪いし、その死人がおらたちにたたるっていうんだ。葬(ほうむ)って墓に落ち着いてる死人とくらべて、葬ってねえ死人のほうがよくたたるんだとさ。それももっともだと思ったんで、もう何にも言わなかったけど、それでもおらは、もっとよく考えて、その男を撃ち殺したのはだれだか、どうしてそんなことをしたか、どうしても知りたいと思った。

おらたちは、ぶんどった着物をひっくりかえしているうちに、毛布地の古いオーバーの裏に縫いこんだ銀貨を八ドル見つけた。ジムは、このオーバーはあの家の人が盗んだにちげえねえ、だって金があることを知っていたら、置いていくはずはねえと言った。おらが、みんなでこの人を殺したんだろうと言ったらば、ジムは、その話はしたくねえと言った。おらは、

「おめえは縁起が悪いって言うけど、おととい、おらが山のてっぺんでヘビの皮を見つけて持ってきたとき、おめえなんて言った？ ヘビの皮を手でさわるくれえ縁起の悪いことは、この世の中にねえって言ったじゃねえか。縁起が悪いってのは、このことか？ こんなに獲物をかっさ

らって、その上に八ドルも手に入れたじゃねえか。これで縁起が悪いんなら、毎日でもいいぜ」

「いいかげんにするだ、ハック、いいかげんにな。そんなに調子に乗るでねえ。いまに来るだで。よくおぼえとけよ、いまに来るだで」

ジムの言う通りだった。その話をしたのは火曜日だったけど、金曜日に、昼めしのあとで、山へ上がって北のはずれの草っ原に横になっていたときのことだ。タバコがきれたんで、おらがほら穴へとりにいくと、そこにガラガラヘビがいた。おらはそいつを殺して、ジムの毛布の足もとに、まるで生きてるみたいに丸めておいた。ジムが見つけたら面白いだろうと思ったんだ。ところが、夜になって、ヘビのことなんかすっかり忘れちまったころに、ジムが毛布にごろんと横になって、おらが明かりをつけてみると、つがいのヘビの片割れが来ていて、ジムの足に嚙みついた。

ジムはギャッといって跳び上がったが、明かりに照らされてまず見えたのは、毒ヘビのやつがからだを丸めて、またとびかかろうとしてるところだった。おらは棒きれで、ひと息にヘビをたたき殺した。ジムはとうちゃんのウイスキーびんをつかんで、ガブガブ飲みはじめた。

ジムははだしだったんで、かかとのとこをまともに嚙まれちまった。それも、もとはといえば、おらがうっかりして、死んだヘビをうっちゃっておくと、つがいの片割れがかならずやってきて、そのまわりにとぐろをまくことを忘れていたからだ。ジムはおらに、ヘビの首をちょんぎって投げすてて、胴体の皮をむいて、ひと切れを火で焼いてくれと言った。その通りにすると、ジムは

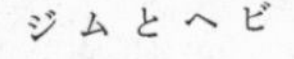

ジムとヘビ

それを食って、これで少しは毒消しの足しになると言った。それからまたジムは、ヘビのガラガラを抜いて、手首のまわりに結わいつけてくれと言った。これも毒消しになると言うんだ。そのあとで、おらは、そっと行ってヘビをやぶの中へほうり投げておいた。できることなら、すべてがおらのせいだってことをジムに知られたくなかったからだ。

ジムは、ウイスキーをグイグイあおっていたが、そいつがときどき頭へきて、跳びまわったり、わめいたりした。でも、正気にかえると、そのたんびにまたグイグイやりはじめた。足はすごくはれあがって、はれが足の上のほうまで来ていた。やがて酔いがまわってきたんで、おらはもうだいじょうぶだと思った。だけど、とうちゃんのウイスキーを飲むくれえなら、おらは、ヘビに嚙まれたほうがまだいいや。

ジムは夜昼ぶっ通しで四日間寝ていた。そのうちにはれがひいて、また元気になった。おらは、ヘビの皮を手でつかむとどういうことになるか、よくわかったんで、二度とやるまいと決心した。ジムは、これからはあっしの言うことを本気で聞きなさるべえと言った。ジムの話では、ヘビの皮をいじることはすごく縁起が悪いんで、ひょっとすると、まだそのたたりは終わっていねえかもしれねえという。ジムが言うには、自分なら、ヘビの皮を手にとるくれえなら、左の肩越しに新月を千回も見るほうがまだいいんだとさ。おらも、なんだかそんな気になっていたけれど、でもおらの考えでは、左の肩越しに新月を見るなんて、およそまぬけな、ばかげたことだと思う。ハンク・バンカーじいさんが、その通りをやったって自慢ばなしをしていたけれど、二年もたたねえうちに、高い塔のてっぺんから落っこちて、せんべいみたいにペッチャンコになっちまった。それでみんなは、棺のかわりに、納屋の戸を二枚かさねて、そのあいだにじいさんのなきがらを横からすっとはさみこんで、それで墓に埋めたって話だが、おらはそれを見たわけじゃねえ。とうちゃんが話してくれたんだ。まあ、どっちにしても、左の肩越しに新月を見るなんてばかげたことをするから、そういう目に会うんだ。

やがて何日かたつうちに、水が引いて川はまた両岸のあいだにおさまった。おらたちが、まず第一に、でっかい釣り針に皮をむいたウサギを餌につけて仕掛けておいたら、人間みたいにでかいナマズが釣れた。長さ二メートル近く、重さ七十五キロもあって、もちろん、おらたちの手におえなかった。こっちのほうが向こう岸まで投げとばされそうだった。おらたちはじっとすわって、やつがさんざんあばれたあげく、死んじまうまでじっと見ていた。腹の中には、真ちゅうのボタンだの、丸い玉だの、ガラクタがいっぱいつまっていた。その玉をおので割ってみたら、中に糸巻きがはいっていた。ジムは、まわりに皮がかぶさって丸い玉になるまでには、ずいぶん長いあいだ腹の中にはいっていたんだろうと言った。ミシシッピー川でも、こんなでかい魚がとれたことはねえだろうとおらは思った。ジムも、こんなでかい魚は見たことがねえと言った。村へ持っていけば、ずいぶんの金になるだろうに。村の市場じゃ、こんな魚は、一キロいくらで売っていて、みんなが少しずつ買うんだ。肉は雪みたいに真白で、フライにするとうめえ。

あくる朝、おらは、退屈で眠くなっちまったんで、なにか目のさめるようなことをしてえと思った。人目につかねえように川を渡って、町の様子をうかがってこようかなって言うと、ジムも、そいつは面白いと言った。でも、行くなら暗いうちに行って、よく気をつけなきゃいけねえ。そう言って、ジムはじっと考えていたが、おめえさん、あの古着を着て、女の子のなりをしちゃどうだ、なんて言いだした。それもいい考えだ。そこでおらたちは、キャラコの着物のすそをつめ、おらはズボンをひざのとこまでまくり上げて、その着物を着こんだ。ジムがホックで後ろを止めてくれると、ぴったしからだに合った。おらは日よけ帽をかぶって、あごの下でひもをしめた。だれかがのぞきこんで、おらの顔を見ようったって、まるでストーブの煙突をのぞくみてえなもんだ。ジムは、これなら、昼間だって、正体を見破られる気づかいはまずねえと言った。おらは、女の子の感じを出そうと思って、いちんちじゅう練習したんで、そのうちに着こなしもだいぶ板についてきた。でもジムは、歩き方が女みたいじゃねえとか、着物のすそをめくってズボンのポケットに手をつっこんじゃいけねえとか言った。それに気をつけたんで、だいぶよくなった。

おらは日が暮れるとすぐ、カヌーに乗ってイリノイ側の川っぷちをこいで上った。

それから、船着き場の少し川下のあたりで川を渡って町に向かったが、川の勢いに流されて町はずれにたどりついた。カヌーを結わいつけてから、土手に沿って歩いていった。ちっぽけな小屋に明かりがついていたが、これは長いことだれも住んでいなかった小屋だ。いったいだれが住みついたんだろうと思った。そっと近づいて、窓からのぞいてみると、中に四十くらいの女の人がいて、松材のテーブルにのせたろうそくの明かりで編み物をしていた。見おぼえのない顔だった。あの町に新顔があらわれて、おらの知らねえはずはねえから、この女の人はよそ者だ。こいつは都合がいいや。だって、おらは弱気になっていて、来るんじゃなかった、おらの声を聞かれたら正体を見破られちまうだろうと思ってビクビクしてたからだ。しかし、よそ者でも、こんなちっぽけな町に二日もいたらば、おらの知りてえことは何でも教えてくれるだろう。そう思っておらは戸をたたいて、女の子だってことを忘れねえようにしっかり自分に言ってきかせた。

# 第十一章

「おはいり」とおばさんが言うんで、おらははいった。こんどは、

「おすわり」

おらはすわった。おばさんは、小さな、よく光る目でおらをじろじろ見てから、

「名前は何てんだい？」

「セアラ・ウィリアムズです」

「どこに住んでんだい？　この近所かい？」

「いいえ。十二キロ川下のフッカーヴィルです。ずうっと歩きづめなんで、くたくたです」

「おなかもすいてんだろうね。なんか見つけてあげよう」

「いいえ、おなかはすいてません。途中でぺこぺこになったんで、三キロばかり下の農家に寄ってきました。だからもうおなかはすいてません。それでおそくなったんです。母さんが病気になって、お金もなかったりしたんで、アブナー・ムーアおじさんに話しに来たんです。おじさんは町の北のはずれに住んでるっていうんですけど、ごぞんじですか？」

「いいや。もっとも、あたしゃ、町の人をぜんぶ知ってるわけじゃないんだよ。ここへ来てま

だ二週間にもならないんだもの。北のはずれまではずいぶんの道のりだから、今夜はうちで休んでいったほうがいいよ。帽子をおとり」

「でも、あたし、少し休ませていただいてから行きます。暗いのはこわくないんです」

おばさんは、あんたひとり行かせるわけにはいかない、やがて主人が、たぶん一時間半もしたら帰ってくるから、いっしょについていかせる、と言った。それからおしゃべりが始まって、主人がどうしたの、川上の親類がどうしたの、川下の親類がどうしたの、やれ昔はもっといい暮しをしていたの、うっかりこの町へやってきたのはまちがいで、前のままにしておきゃよかったの、なんだのかんだのとまくしたてるんで、おらは、町の様子を知りたくて来たのに、こんな所へとびこんだのは失敗だったかなと思った。ところが、やがておばさんは、とうちゃんと人殺しの話を始めたんで、おらも、そのましゃべらせておくほうがいいと思った。そのうちに、おらとトムが六千ドルを見つけた話になって(おばさんの話じゃ一万ドルになってたが)、とうちゃんの話をひとくさり、あんなやくざなおやじもなけりゃ、あんなやくざな息子もないと言って、やっと最後におらの殺されるところへたどりついた。おらは、

「だれがやったんですか? フッカーヴィルでも、この事件のうわさ話で持ちきりなんですけど、ハック・フィンを殺したのはだれなんだか、まだわからないんです」

「さあ、だれが殺したんだか、知りたい気持はこの町の人たちだって同じだろうよ。ほかでもないハックのおやじがやったと思ってる人もあるのさ」

「え――ほんとですか？」

「たいていの人がはじめはそう思ったのさ。ハックのおやじは、自分じゃ知らなかっただろうけど、もう少しでリンチにされるところだったんだよ。ところが、夜にならないうちにみんなの考えが変わって、犯人はジムという名の逃亡奴隷だってことになったのさ」

「だって、ジ――」

おらは口をつぐんだ。黙ってるほうがいいと思った。おばさんはしゃべり続けてたんで、おらが何か言いかけたことはちっとも気がつかなかった。

「その黒んぼは、ハック・フィンが殺された同じ晩に逃げたんだよ。だから、そいつには賞金が、三百ドルかかってるのさ。ハックのおやじにも賞金がかかってて、こっちは二百ドル。このおやじは、殺しのあった翌朝、町へやってきて、その話をして、みんなといっしょに渡し船で死体さがしに出かけながらそのすぐ後でいなくなっちまったんだよ。暗くなる前に、みんなでリンチにしようとしたら、もう逃げちまっていたのさ。ところが、その次の日には、黒んぼがいなくなったことがわかった。調べてみたら、殺しのあった晩の十時から後に、姿を見かけた者がいないというんで、こいつのしわざだってことになってね。みんな、その話で持ちきりになってるところへ、次の日にひょっこりハックのおやじが帰ってきて、サッチャー判事さんに、イリノイ州をさがしまわって黒んぼを見つけにいくからって、ギャーギャーいってお金をせびったのさ。判事さんが少しお金をやると、その晩おやじは酔っぱらって、すごくやくざっぽい二人のよそ者と、真夜中すぎまで騒ぎまわって、それから三人でいっちまった。それ以来帰ってこないんだけど、この事件のほとぼりが少しさめるまでは、おやじが帰ってくるとはだれも思ってやしない。だって、このおやじは、ハックを殺してから、それを泥棒のしわざだと人が思うように仕組んでおいたんで、裁判沙汰にむだな長い時間をかけずにハックのお金を手に入れるだろうと、みんなはそう見てるのさ。この男ならそのくらいやりかねないって、みんな言ってる。とにかく、ひとすじ縄じゃいかないよ。一年ばかり姿をくらましていりゃ、もう大丈夫さ。どうしたって、ぜったい尻尾はつかまれないんだから。一年もたてば騒ぎもすっかりおさまって、おやじさん、いとも簡単にハックのお金をせしめちまうだろうよ」

「そうでしょうね。だれもその邪魔はできませんから。黒んぼがやったと思ってる人はもういないんですか」

「いや、いないわけじゃない。あいつがやったと思ってる者は、大ぜいいるのさ。黒んぼはもうすぐつかまるだろうから、おどせば泥を吐くだろうよ」

「まだ黒んぼを追っかけてるんですか」

「まあ、この子ったら世間知らずだねえ。三百ドルって大金が、まい日そこらにころがってると思うのかい。その黒んぼは、ここから遠くない所にいると考えてる人もあってね。あたしもその一人なんだけど、まだ人には話してないのさ。何日か前に、となりの丸太小屋に住んでる年より夫婦と話していたとき、川向こうのジャクソン島って島には、ほとんどいく人がないって話が、ひょいと二人の口から出てね。だれも住んでないんですかってあたしがきくと、だれも住んでないっていうのさ。あたしゃ、それ以上なにも言わなかったけど、胸の中で考えたのよ。それより一日か二日前、その島のとっ先のあたりに、たしかに煙が立つのを見かけた。どうやら、あの黒んぼは島にかくれているらしい。とにかく、ひとさがししてみるだけの値うちはあるよって、そう考えたのさ。それ以後は煙が見えないから、あいつだとしても、もういないかもしれないけど、でも、主人が、もう一人の男をつれて見にいくことになってるの。主人は、川上のほうへいってたんだけど、今日は戻ってきたんで、二時間ばかり前に家へ着くとすぐ、あたしはその話をしたんだよ」

おらは、すごくそわそわして、じっとすわっていられなくなった。両手のやりばに困ったんで、テーブルの上の針を一本とって、それに糸を通しはじめた。手がぶるぶるふるえて、へまばっかりした。おばさんが話をやめたんで顔を上げると、おばさんは、おらをいやにじろじろ見つめて、にやっと笑った。おらは針と糸を置いて、もっと話を聞きたいような顔をした――じっさい、もっと聞きたかったんだ。

「三百ドルって、大金ですね。母さんにそれだけお金があるといいけど。ご主人はこんばん島へいらっしゃるんですか」

「そうよ。主人はいま、さっき話した男といっしょに、舟の手配と、それから、もう一挺(ちょう)鉄砲を借りる工面(くめん)に町へいっているのさ。真夜中すぎに島へ渡る予定でね」

「夜が明けるまで待ったほうが、よく見えるんじゃないですか？」

「そりゃそうだけど、黒んぼのほうだってよく見えるわけだろ？　真夜中すぎなら、まだ眠ってるだろうし、探すほうでも、森の中をこそこそ歩きまわって、たき火のあとがあるならそれを見つけ出すのも、暗いほうが都合がいいんだよ」

「なるほど」

おばさんは、まだじろじろ見つめているんで、おらのほうはちっとも落ち着かなかった。やがておばさんは、

「あんたの名前はなんていったっけね」

「メ――メアリー・ウィリアムズです」

おらは、なんだか、さっきはメアリーって言わなかったような気がしたんで、顔が上げられなかった。セアラって言ったような気がした。困ったことになったと思ったが、顔も困った顔になってるんじゃねえかと思った。おばさんがもっと何か言ってくれればいいと思った。おばさんが黙ってじっとしていればいるほど、こっちは落ち着かなかった。やっとおばさんが言った。

「最初にはいってきたときはセアラって言ったような気がするけど」

「ええ、そう言いました。セアラ・メアリー・ウィリアムズです。セアラがほんとの名前なんですけど、セアラって呼ばれるときと、メアリーって呼ばれるときがあるんです」

「あら、そういうわけなの」

「ええ」

これで少しほっとしたけれど、とにかくそこから早く出ていきたいと思った。まだ顔が上げられなかった。

それからまたおばさんはしゃべりだして、暮らしにくい時勢だとか、さんざん貧乏をしてきたとか、ネズミがわがもの顔に家じゅうをあばれて困るとか、なんだかんだ言いはじめたんで、おらもやっと気がらくになった。ネズミは、なるほど言う通りだった。へやのすみの穴から、入れかわり立ちかわりネズミが首を出すのが見えた。おばさんがひとりでいるときには、何かネズミに投げつけるものを手もとにおいておかないと、安心していられねえんだとさ。おばさんは、鉛の棒をねじって固めたのをおらに見せて、いつもはうまく投げられるんだけど、きのうかおととい、腕を筋ちがいしちまったもんだから、いま投げても当たるかどうかわからないと言った。それでもおばさんは、ネズミのすきをうかがって、バーンとまともにぶっつけたけれど、ねらいはおら大きくはずれて、「あいたっ!」と言った。腕にひどくこたえたんだな。それから、こんどはおらにやってみろって言う。おらは、おやじさんが帰ってくる前に逃げだしたいと思ったけれど、そんなそぶりもできねえ。鉛の棒をつかんで、最初に首を出したネズミめがけてぶん投げた。ネズミがそこにじっとしていたら、ずいぶん痛い目にあったにちげえねえ。おばさんも、たいした腕前だってほめてくれて、二度目にはきっと当たるだろうと言った。それから、鉛のかたまりを拾って持って帰ると、それといっしょに糸の束を持ってきて、おらに手伝ってくれって言うんだ。

おらが両手をさし出すと、おばさんはその上に糸巻きをのっけて、また自分のことやおやじさんのことをベラベラしゃべりはじめた。と思うと、話を急にやめて言うには、

「ネズミから目を離すんじゃないよ。鉛はひざにはさんで用意しといたほうがいいね」

そう言うと同時に、おばさんは鉛をおらのひざのあいだに落としたんで、おらは両足をパチンと合わせてそれを受けとめた。おばさんはまた話を続けたけれど、それもほんのちょっとの間で、こんどは、糸の束を取ると、まだにこにこしながらだが、おらの顔を穴のあくほど見つめて、言った。

「さあ、はっきりお言い——おまえの本当の名前は何てんだい?」

「な、なんですか?」

「本当の名前は何なのさ? ビルかい、トムかい、ボブかい、何ていうんだい?」

おらはガタガタふるえていただろうけど、どうしようもなかった。それでも、

「どうか、あたしみたいなあわれな女の子をからかわないでください。もしお邪魔なら、あたし——」

「おっとお待ち。そこへすわってじっとしておいで。べつに何にもしやしないし、告げ口なんかしないから。ただ、あたしを信用して、かくしてることを言ってごらん。秘密は守ってあげるし、そればかりか、力になってやるよ。なんなら、うちの主人だって力になるさ。おまえさん、奉公先から逃げ出したんだろ、そうだね。そんなこと、なんでもありゃしない。ちっとも悪いこ

となんかないんだよ。ひどい目にあわされたんで、逃げようと思ったんだろう。だいじょうぶ、告げ口なんかしないから。さあ、すっかり話しておしまい、いい子だから」

そこでおらは、これ以上芝居をしても仕方がないから、なにもかもさらけだして話しますけど、告げ口しない約束を破らないでくださいと言って、こんな話をした。父さんも母さんも死んでしまったあと、お上の命令で、川から五十キロも奥へはいったいなかの、いじわるな百姓のおじいさんのとこへ奉公にやられたんです。でも、とってもひどい目にあわせるんで、もうがまんができなくなりました。おじいさんが町へ二日ばかり出かけたんで、そのすきをうかがって、娘さんの古着を盗んで逃げだしたんです。五十キロ歩くのに三日もかかりました。夜のうち歩いて、昼間はかくれて眠りました。袋にパンと肉を入れて家から持ってきたのがなくならなかったんで、不自由しませんでした。アブナー・ムーアおじさんのとこへいってお世話になろうと思って、そんなわけでこのゴーシェンの町を目ざして来たんです、と言った。

「ゴーシェンだって？　ここはゴーシェンじゃないよ。セント・ピーターズバーグだよ。ゴーシェンはまだ十六キロも川上じゃないか。ここがゴーシェンだなんて、だれが言ったんだい」

「今朝の夜明けごろ、いつもの通り寝ようと思って、森の中へはいりかけていたときに出会った人です。道がふたまたに分かれたら、右手へいくんだ、七キロ半歩けばゴーシェンへ着くって言いました」

「きっと酔っぱらっていたんだよ。まるで見当ちがいのことを教えてるんだもの」

「そう言えば酔っぱらってたみたいです。でも、もういいんです。そろそろ行かなきゃなりません。夜が明けないうちにゴーシェンへ着きたいんです」

「ちょっとお待ち。お弁当を作ってあげるから。なきゃこまるだろう」

おばさんは弁当を作ってくれてから言うには、

「ちょっときくけど――牛が寝ているとき、前か後ろか、どっちから先に起きる？ いますぐ答えてごらん――ゆっくり考えてちゃだめだよ。どっちから先に起きる？」

「後ろからです」

「それじゃ、馬は？」

「前のほうからです」

「木の幹でいちばん苔が生えるのはどちら側だい？」

「北側です」

「十五頭の牛が山で草を食べてるとしたら、同じ方向に首を向けて食べてるのは、そのうち何頭だい？」

「十五頭ぜんぶです」

「なるほどおまえはいなか育ちだね、またあたしをかつぐつもりかと思ったよ。さあ、本当の名前を言ってごらん」

「ジョージ・ピーターズです」

「それじゃ、よくおぼえておくんだよ、ジョージ。出る前にそれを忘れてアレキサンダーだなんて言ったり、しっぽをつかまれるとジョージ・アレキサンダーですなんてごまかして逃げたってだめだよ。それから、そんな古着を着て女の人のそばをうろうろするんじゃないよ。おまえの女の子の芝居はへたくそだもの。でも、男ならだまされるかもしれないね。いいかい、針に糸を通そうとするときは、糸のほうをじっと持ってて、そこへ針を持っていったりするんじゃないよ。針のほうをじっと持ってて、それに糸を入れるの――それがたいがいの女のやり方なのさ。ところが男はいつもその反対なんだね。それから、ネズミやなんかに物を投げるときは、忍び足で寄っていって、片手を頭の上にできるだけ不器用に振り上げて、ねらったネズミから二メートルもそれた所に当てるのさ。女の子なら、まるで肩のとこに心棒があって、腕がそのまわりをまわってるみたいに、ギクシャク動かすんだよ。男の子みたいに、腕を後ろへぐっと引いて、手首とひじで投げるんじゃなくってね。いいかい、女の子がひざで物を受けとろうとするときは、ひざをパッと広げるんだよ。おまえが鉛のかたまりを受けたときみたいに、パチンと両ひざを合わせたりしないのさ。もう、おまえが針に糸を通しているときに、男の子だってことはわかったけど、ただ念のためにほかのことを考えだしたんだよ。さあ、急いでおじさんとこへおいき、セアラ・メアリー・ウィリアムズ・ジョージ・アレキサンダー・ピーターズ。おばさんの名前はジューディス・ロフタスっていうんだけど、困ったことがあったら、ひとこと知らせておくれ。できるだけのことはして、助けてあげるから。ずうっと川沿いの道を通っておいき。こんどから遠くへいく

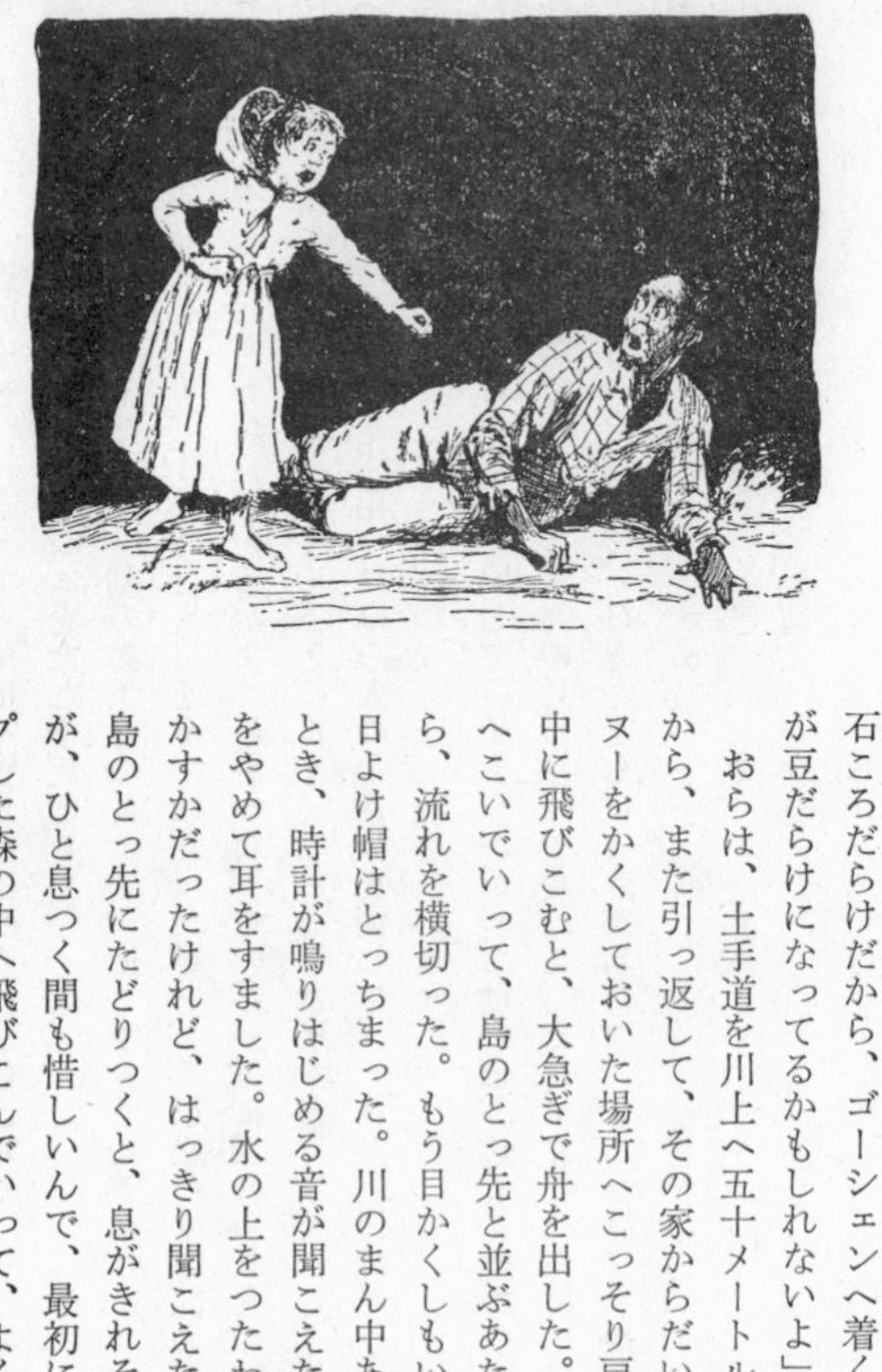

ときは、靴と靴下を持ってくるんだよ。川沿いの道は石ころだらけだから、ゴーシェンへ着くころには、足が豆だらけになってるかもしれないよ」

おらは、土手道を川上へ五十メートルばかし行ってから、また引っ返して、その家からだいぶ川下の、カヌーをかくしておいた場所へこっそり戻った。そして中に飛びこむと、大急ぎで舟を出した。どんどん上流へこいでいって、島のとっ先と並ぶあたりまで来てから、流れを横切った。もう目かくしもいらねえので、日よけ帽はとっちまった。川のまん中あたりまで来たとき、時計が鳴りはじめる音が聞こえたんで、こぐのをやめて耳をすました。水の上をつたわってくる音はかすかだったけれど、はっきり聞こえた。十一時だ。島のとっ先にたどりつくと、息がきれそうになってたが、ひと息つく間も惜しいんで、最初におらがキャンプした森の中へ飛びこんでいって、よく乾いている場所に大きなたき火をたいた。

それからまたカヌーにとびのって、二キロ半川下のおらたちの場所へ、一生懸命こいでいった。島へ上がると、森の中をつっ走って、尾根へ登り、ほら穴に飛びこんだ。ジムのやつは、地面に横になって眠っていた。おらはジムをたたき起こして言った。

「さあ起きて用意するだ！　一刻の猶予もなんねえ。追っ手がくるぞ！」

ジムは、何もたずねず、ひとことも口をきかなかったけど、その後の半時間の働きぶりを見れば、やつがどんなにこわがっているかよくわかった。そのあいだに、おらたちの持ち物は一切（いっさい）がっさい筏にはこんで、柳の生えている入江にかくしておいた所から、すぐにこぎ出せるようになっていた。おらたちは、まず第一にほら穴のたき火を消して、それから後はろうそくも外に見えないようにした。

おらはカヌーを岸からちょっと出して様子をうかがったけれど、近くに舟がいたって見えやしねえ。星のほかは暗闇で、これじゃ物の見わけはつかねえ。そこでおらたちは、島のかげになってる所をたどってそうっと下って、ひとことも口をきかねえで、しんと静まりかえった島のはずれを通りすぎた。

# 第十二章

おらたちが、やっと島の下流あたりに来たのは、一時ごろだったにちげえねえ。なにしろ、筏のやつが、ちっとも進まねえんだ。もし舟が近づいてきたら、おらたちはカヌーにとび乗って、イリノイの川岸へつっ走るつもりだった。でも、舟が来ねえでよかった。だっておらたちは、カヌーに鉄砲を入れておくことも、釣り糸や食い物なんかをはこんでおくことも、まるっきり忘れてたんだからな。とにかく、あわてにあわてちまって、いろんなことを考えてるひまがなかったんだ。何から何まで筏の上においとくのは、りこうなやり方じゃねえや。

あの男たちが島へ行ったとしたら、きっと、おらがたいておいたたき火を見つけて、ひと晩じゅうジムの帰りを待ち伏せしていたことだろうよ。どっちにしても、おらたちのほうへ近づいてはこなかった。やつらがおらのたき火のおとりにひっかからなかったとしても、おらが悪いんじゃねえ。おらとしては、どんな汚ねえやり方でもいいから、やつらをひっかけてやろうと思った

んだ。

空に夜明けの光がひと筋見えるとすぐ、おらたちは、イリノイ側の大きな川曲りにある砂州に筏をつないだ。それから、ポプラの枝をおのでたたき切って、筏の上にかぶせて、土手のそこんとこが凹んでるみてえに見せておいた。砂州ってのは砂地の浅瀬で、ポプラの木がまぐわの歯みてえにびっしり生えてるとこなんだ。

ミズーリ側は山ばっかしで、イリノイ側は木がいっぱい生えていた。川の水路は、そこいらではミズーリ側に寄っていたんで、だれかが川を渡っておらたちのほうへ来る心配はなかった。おらたちは、いちんちそこで横になって、筏や汽船が、ミズーリ側の岸のそばをスイスイ下っていくのを見ていた。上りの汽船は、川のまん中の広い所で流れに逆らっていた。おらはジムに、あのおばさんとベチャクチャしゃべってた時のことをくわしく話してやった。ジムは、頭のいい女だと感心して、もし亭主のかわりにおばさんがおらたちをさがしに来たら、のんびりすわってたき火なんぞ見ちゃいめえ、きっと犬をつれてくるにちげえねえ、と言った。そんならおばさんは、どうして亭主に犬をつれていけって言わねえんだ、とおらがきくと、ジムが言うには、「そりゃ、男たちが出かけるまぎわに、きっと気がついたにちげえねえ。だから男たちは犬をさがしに町へ行って、それであんなに時間をむだにしちまっただ。さもなけりゃ、あっしたちも、村から二十五、六キロも川下の砂州なんかに、こうして横になっちゃいめえ――きっと今ごろは、もとの古巣の町へ逆もどりしてるにちげえねえ」そこでおらは、「あいつらにつかまりさえしなけりゃ、なぜつかまらねえか、そのわけなんかどうだっていいや」と言った。

だんだん暗くなってきたんで、おらたちはポプラの茂みから首をつき出して、川上、川下、川向こうと見まわしたが、なんにも見えなかった。そこでジムは、筏の上板を何枚かはがして、カンカン照りや雨のときにもぐりこむと気持よさそうな小屋を作った。物をかわかすにもちょうどいい。ジムは小屋に床を張って、筏のおもてより三十センチ以上も高く上げたんで、汽船のそばを通っても、毛布やなんかの品物が波をかぶらないですむようになった。小屋のまん中におらたちは、十二、三センチの厚さに土を積んで、まわりを枠でかこんでくずれねえようにした。これは、雨がビショビショ降ったり寒かったりするときに火をおこす場所で、小屋の中だから外からは見えねえんだ。その次には、オールのどれかが川の中の沈み木かなんかにぶつかって折れたりするといけねえから、予備のかじとりオールを作っておいた。それから、短い二股の棒を使って、古カンテラをぶら下げるものを作った。汽船が川を下ってくるのを見かけるたんびに、ぶつけられねえように、かならずカンテラに明かりをつけなきゃなんねえからだ。だけど、上りの汽船の場合は、おらたちが「横断」の水路(安全な水路を求めて汽船が川を横断する所)にはいってさえなければ、明かりをつけなくてもだいじょうぶだった。まだ水かさがふえたまんまで、岸のうんと低い所は少し水をかぶっていたから、上りの船は本流を通るとは限らねえで、流れのゆるい所をえらんで走っていた。

これが二日めの晩だが、時速七キロ以上の流れに乗って、おらたちは、七時間から八時間も走った。そのあいだ、魚をとったり、しゃべったり、ときどきは眠けざましに泳いだりした。仰向けになって星をながめながら、でっかい静かな川を流れていくと、心がひきしまるみてえで、大声でしゃべる気にはならねえし、めったに笑いもしねえ。せいぜい小声でクスクスやるくれえのものだった。だいたい天気はすごくよくって、その晩も、次の晩も、その次の晩も、おらたちは、まったく天下太平だった。

まい晩のように町のそばを通ったが、中には、真暗な山の上に遠く離れてる町もあった。ただキラキラ光る明かりがかたまっているだけで、家なんか一軒も見えねえときもあった。五日めの晩にセント・ルイスの町のそばを通ったけれど、まるで世界じゅうに明かりがついたみてえだった。セント・ピーターズバーグの連中が、セント・ルイスには二、三万も人がいるって話をよくしていたが、その静かな晩の夜中の二時に、すばらしい明かりの海を見るまでは、まさか本当だとは思わなかった。しかも音ひとつ立てねえで、みんな眠っているんだ。

その時分から、おらは、まい晩十時ころになると、小さい村の近くでこっそり岸へ上がっては、粉やベーコンやそのほかの食い物を、十セントか十五セントくらい買ったり、時には、静かにおやすみになってねえニワトリを、失敬して持って帰ったりした。ニワトリが手にはいるときは、遠慮なくちょうだいしろって、とうちゃんがよく言っていた。自分で要らなくても、ほかに要る人はすぐ見つかるし、親切を忘れる人はねえからなって。そのくせ、とうちゃんが要らねえって言うのを聞いたことがねえ。とにかく、それがとうちゃんの、いつもの言いぐさだった。

まい朝、夜明け前に、おらは、トウモロコシ畑へ忍びこんで、スイカとか、ジャコウウリとか、カボチャとか、できたてのトウモロコシとか、そういったものを借りといた。いつか返す気さえあれば、物を借りたってちっとも悪くねえと、とうちゃんはいつも言っていたけれど、後家のおばさんは、借りるなんて、盗むことをていさいよく言っただけで、まともな人のやることじゃないと言ってた。ジムに言わせると、おばさんの言うことも半分正しいし、とうちゃんの言うことも半分正しい、だから、いちばんうまいやり方は、品物の中から二つか三つ選びだして、これはもう借りませんて言えばいい——そうすれば、それ以外の物は借りたってかまわねえんだとさ。それで、おらたちは、川を下りながら、スイカか、マクワウリか、ジャコウウリか、どれをすてることに決めようかと思って、ひと晩じゅう話し合った。でも、夜が明けるころには、うまいぐあいに話がまとまって、豆リンゴとカキをすてることにきめた。それまではなんだか気が重かったけれど、これですっかり気がらくになった。また、うまくまとまってよかった。だって、豆リンゴなんておよそうまくねえし、カキが熟すまではまだ二、三か月はかかるからだ。

おらたちは、ときどき水鳥を撃った。早起きしすぎたやつか、夜さっさと寝なかったやつかどっちかだ。ならしてみれば、おらたちの暮らしはぜいたくだったな。

セント・ルイスを通って五日目の晩、真夜中すぎに大嵐にぶつかって、すごいゴロゴロピカピカといっしょに、どしゃ降りの雨が降りだした。おらたちは小屋の中にはいって、筏は流れにまかせることにした。いなずまがパッと光ると、行く手の川の大きなまっすぐな流れや、両岸の高い岩だらけのがけが見えた。そのうちに、おらは、「おーい、ジム、向こうを見ろよ！」とどなった。岩にぶつかってこわれた汽船が見えたんだ。筏は、まっすぐその汽船のほうへ流れていた。ピカッといなびかりで汽船がはっきり見えた。斜めにかしいで、上甲板が半分水の上へ出ていた。大きな鐘のそばにあるいすの背に、古いソフト帽が一つかかっているのまで見えた。

さて、夜もふけたし、空は荒れ模様だし、いやに気味が悪くなってきたけれど、そんなとき川の中に、難破船が一隻ぽつんと悲しそうに沈んでるのを見たら、どんな子供だって、そのときのおらと同じような気になったにちげえねえ。つまりおらは、その船へ上がって、そっと歩きまわって、中の様子を見たくなったんだ。そこでおらは、

「上がってみようぜ、ジム」と言った。

ところがジムは、最初は猛烈に反対して言った。

「あっしゃ、難破船なんかにいたずらはしたくねえだ。いままでせっかく無事できただだから、無事のままにしておくほうが、まちげえねえ。それが神様の教えだ。あの船には見張りがいるかもしれねえしな」

「見張りが聞いてあきれらあ」とおら。「見張るとこなんか、高級船員室と水先案内室しかないじゃねえか。しかもこんな晩で、いつぶっこわれて川に流されるか分からねえのに、命をかけて高級船員室と水先案内室なんか見張るやつがあるもんか」ジムも、これにはひとこともなかったんで、なんとも言わなかった。「おまけに、船長室で何かいいものが借りられるかもしれねえ」

おらは言った。「おらは、まず葉巻——現金で一個が五セントはするやつだ。汽船の船長なんて、月に六十ドルもとるだから、いつも金がうなっていて、何かほしい物があるときは、値段がいくらだろうと問題じゃねえんだ。ポケットにろうそくを入れとけよ、ジム。船の中をひっかきまわしてみねえうちは、おら、じっとしていられねえ。トム・ソーヤーがいたら、こいつをうっちゃっておくめえ。ぜったいに、ねえとこだ。こいつはすごい冒険だって、きっとそう言うだろうな。だから、なにがなんでも難破船に上がるだろう。トムのことだから、かっこよくやるだろうよ。はでにやらなきゃ気がすまねえんだからな。まるでコロンブスが天国を発見したみてえな騒ぎになるだろうよ。ほんとにトム・ソーヤーがいれば面白いんだがな」

ジムは、少しぶつぶつ言ってたが、やっと承知した。でも、「できるだけしゃべらねえようにしなきゃいけねえ、しゃべるときは、うんと低い声でしなきゃいけねえ」と言った。ちょうどそのとき、いなびかりが光って難破船がまた見えたので、おらたちは、右舷の起重機(デリック)のとこに筏を寄せて、しっかり止めておいた。

こっち側のデッキは高く上がっていたんで、おらたちは、坂になったデッキを左舷のほうへはい下りて、暗い中を足でさぐりながら、高級船員室のほうへ向かった。まっくらで張り綱のありかも見えねえもんだから、綱にぶつからねえように両手をひろげて歩かなきゃならなかった。やがて天窓の前端にぶつかったんで、そこをよじのぼって、一歩前へ出たら、おらたちは船長室のドアの前に立っていた。そのドアはあいていて、高級船員室の廊下のずっと向こうに明かりが見えるじゃねえか！　と思うまもなく、遠くのほうで低い人声が聞こえるような気がした。

ジムは小声で、ひどく気分が悪くなっただから、いっしょに来てくれ、と言った。おらは、よしと言って、筏のほうへ行こうとしたら、ちょうどそのとき、だれか哀れっぽい声でこう言うのが聞こえた。

「お願いだから助けてくれ。ぜったいに秘密はばらさねえから」

もう一人が、かなり大きな声で言った。

「うそつけ、ジム・ターナー。おめえがこんなまねをしたのははじめてじゃねえ。おめえは、いつも分け前以上のものを欲しがったな。そして、くれなければばらすとぬかしちゃ、余分にぶんどりやがったな。だが、こんどばかりは、調子に乗ってやりすぎたようだぜ。てめえみたいな、きたねえペテン師の野良犬は見たことがねえや」

そのころジムは、筏のほうへ行っちまっていた。おらは、これから面白くなると思ってうきうきしていた。トム・ソーヤーならば、ここでやめることはねえだろうけれど、おらだってやめねえ。最後まで成り行きを見とどけようと思った。そこでおらは、狭い廊下に手とひざをついて四つんばいになって、暗闇を船尾へはっていくうちに、おらの所から船室一つくらいおいて先が高級船員室の横廊下というとこまで来ちまった。すると、そこの床の上に、手足をしばられた一人の男が伸びてるじゃねえか。そばに二人の男が立って見下ろしていたが、一人は暗いカンテラを、もう一人はピストルを手に持っていた。二番目の男は、床にねてる男の頭のほうにピストルを向けて言っていた。

「一発噛ますか！　噛まさにゃなるめえ、てめえのようなドブネズミは！」床に伸びた男は、ちぢみあがって言う。「お願えだ、ビル、助けてくれ。ぜったいにばらしゃしねえから」

そう言うたんびに、カンテラを持った男は笑って、

「ばらさねえって？　まったく、これ以上たしかなことはねえや」と言ったり、また、「命ばかりはオタオタか！　そのくせ、こっちのほうで、やつをとっつかめえて、ふんじばらなきゃ、やつのほうでおれたちを殺すにきまってる。それも、何のためだ？　何でもねえ、ただ、おれたちが当然の分け前を取ると言った、それだけのためだ。だけどよ、ジム・ターナー、これからは、だれもてめえにおどかされる人間はもういねえんだ。ビル、そのピストルはしまえ」

ビルは言う。

「いやだよ、ジェイク・パッカード。おれはこいつを殺してえ。こいつはハットフィールドじじいを殺しやがったんだから、それと同じやり方で殺されるのが当たり前じゃねえか！」

「だけど、おれはこいつを殺したくねえ。それにはわけがあるんだ」

「ありがてえ、よく言ってくれた、ジェイク・パッカード。死ぬまで忘れねえぜ」床の上の男は、しどろもどろでそう言った。

パッカードは、そっちは見向きもしねえで、カンテラを釘にひっかけると、その暗い中をおら

のほうへ歩いてきて、ビルにも来いと手まねきした。おらはカニみたいにはって大急ぎで二メートルばかし退却したけど、船がかしいでるんで、あんまり早く進めなかった。そこでおらは、ふんづけられてつかまっちゃいけねえと思って、高いほうの側の船室にはいこんだ。男は暗い中を手さぐりでやってきたが、パッカードは、おらのいる船室までくると、

「ここだ——ここへはいれ」と言った。

やつが先にはいって、ビルがあとについてきた。だけど、やつらがはいる前に、おらは追いつめられて寝台の上段にもぐりこんで、こんなとこへ来るんじゃなかったと思っていた。そのうち、やつらはそこへ立って、寝台のへりに手をかけたまましゃべっていた。おらはウイスキーを飲んでるウイスキーのにおいで、やつらのいる場所はわかった。顔は見えなかったけれど、おらは息もしなかったから、おでよかった。どっちにしても、同じようなもんだ。なにしろ、おらは息もしなかったんだから、おらのかくれ場所は分かるめえ。おらはこわくってたまんなかった。だいいち、そんな話を聞きながら、息なんかできるもんじゃねえ。やつらは低い声で真剣にしゃべっていた。ビルはターナーを殺してえ。だからこう言う。

「あいつは、秘密をばらすと前に言ってたから、きっとばらす。仲たがいになって、あいつをむごく扱ったあとで、おらたちの分け前をそっくりあいつにやると言ったって、なんの役にも立たねえ。やつがおらたちに不利な証言をすることは、ぜったいまちげえねえ。わかったな。息の根をとめてやるほうが、あいつのためなんだ」

「おれもそう思う」パッカードは、いやにおとなしく言った。

「なんだ、おめえは反対するんじゃねえかと思ってたのに。それじゃ話はきまった。さっそくやっつけよう」

「ちょっと待った。まだおれの言い分がある。よく聞けよ。撃つのも結構だが、同じ片づけるにも、もっと静かなやり方がある。つまりおれのねらいはだな、わざわざ首になわがかかるようなまねをするのは利口じゃねえ。どうせ同じ目的を達するなら、ききめは同じで、しかもあぶない橋を渡らねえですむやり方のほうがいい。そうじゃねえか？」

「そりゃそうだが、こんどの一件はどうしようてんだ？」

「おれの考えはこうだ。大急ぎで船室をまわって、取りこぼした品があったら何でもかき集め、船で陸へはこんで獲物をかくす。それから様子を見るんだ。まあおれの見るところじゃ、この船がぶっこわれて、川の流れに消えるまで、二時間の余はかかるめえ。な？　やつがおだぶつになったところで、自業自得というもんで、だれの罪にもなりゃしねえ。撃ち殺すよりゃ、このほうがよっぽどうまいやり方だろう。おれは、なろうことなら人は殺したくねえ主義なんだ。利口なやり方じゃねえし、道にはずれたことだ。そうじゃねえか？」

「うん——その通りだ。だけど、船がぶっこわれて流れなかったらどうする？」

「まあ、とにかく二時間待って、様子を見ようじゃねえか」

「そんなら、そうしよう。来い」

　こうして二人が出ていったので、おらは、からだじゅうに冷汗をかいたまま飛びだして、へさきのほうへ急いでいった。そこは真暗闇だったが、おらが、低いかすれた声で「ジム！」って呼ぶと、ジムは、手が届くほどまぢかで、うなるみてえな声で返事をした。

「早くしろ、ジム。こんなとこにぐずぐずして、うなったりしてる時じゃねえ。あっちには人殺しの仲間がいるんだ。こいつらが難破船から逃げ出せねえように、やつらのボートをさがし出して川に流しちまわねえと、やつらのうちの一人が痛い目に会う。だけど、やつらのボートが見つかれば、やつらを三人とも痛い目に会わせることができる――つまり、保安官の御用になるんだ。早く、急いで！　おらは左舷を探すから、おめえは右舷を探せ。まず、筏のとこから始めて、それから――」

「ああ、神さま、神さま！　筏かよ？　筏はなくなっちまった。綱が切れて、流れちまっただ。あっしたちゃ取り残されただ！」

# 第十三章

おらは、息が止まって気絶しそうになった。あんな悪党どもといっしょに難破船にとじこめられるなんて！　でも、くよくよしてる暇はねえ。今すぐに、どうしてもそのボートを見つけなきゃならなかった――やつらより、こっちのほうで要るんだ。そこでおらたちは、ガタガタブルブルふるえながら右舷のほうへ下りていったけど、のろのろしか歩けねえもんで、船尾にたどりつくまで一週間もかかるんじゃねえかと思った。そこにはボートのボの字もなかった。ジムは、それ以上は一歩も進めねえ――あんまりおっかなくって、からだじゅうの力があらかた抜けちまった、と言う。でもおらは、元気を出せ、この難破船に取り残されちまったら、えらい目に会うぜと言った。そこで二人はまた、ふらふら歩きだした。おらたちは高級船員室の後部を目あてに進んでいって、それを見つけたんで、天窓の上をはうようにして前へ向かった。天窓のはじのほうは水の中に沈んでいて、一枚一枚よろい戸にしがみついていかなきゃならなかった。横廊下に通じるドアのすぐそばまで来たら、思った通りそこにボー

トがあった。暗くてやっとかすかに見えるくらいだった。こんなにうれしかったことはねえや。すぐにもボートに乗ろうと思ったら、ちょうどそのときドアがあいた。おらのいる場所から六十センチくらいしか離れてねえとこで、やつらのうちの一人が首をつき出した。おらは、もうだめかと思った。ところが、やつは首をまた引っこめて、

「ビル、明かりを見せるんじゃねえ」

そう言うと、何かの袋をボートの中にほうりこんでから、こんどは自分が乗りこんで腰をおろした。パッカードという男だった。次にはビルがやってきて乗りこんだ。パッカードが低い声で、

「これでよし、船を出せ！」と言う。

おらは力が抜けて、よろい戸にしがみついているのもやっとだった。ところが、ビルという男が言う。

「待て。やつのからだを調べたか？」

「いいや。おめえは？」

「おれもだ。それじゃ、やつはまだ現金（げんなま）の分け前を持ってる」

「よし、行こう。品物を取って金を残す手はねえや」

「おい――やつはおれたちのたくらみを感づきゃしねえか？」

「感づきゃしめえ。とにかく金はいただかなきゃ。来い」

そう言って二人はボートから出ると、中へはいった。

船がそっち側にかしいでいたんで、ドアがバタンとしまった。一秒もたたねえうちに、おらはボートに乗っていた。ジムも、ころげながらおらのあとについてきた。おらがナイフを出してロープを切ると、ボートはすっと動きだした。

おらたちはオールに手もふれねえ。口をきかなきゃ、ひそひそ話もしねえ。それどころか、息もしねえくらいだった。ボートは、音ひとつたてねえでスイスイと流れて、外輪おおいのへりを通りすぎ、船尾（とも）を通りすぎた。それから一、二秒のうちに、おらたちは、難破船の百メートルも川下まで来ていたが、船は暗闇にすっぽり包まれて、影も形も見えねえ。もう大丈夫だと、おらたちも思った。

三百か四百メートル下ったころ、高級船員室のドアのあたりに、カンテラの明かりが、火花のようにピカッと光るのがちょっと見えた。それでおらたちも、悪党どもが、今ごろはボートのないのに気がついて、自分たちもジム・ターナーと同じはめになったことが、やっと分かりはじめただろうと思った。

それからジムがオールをこいで、おらたちは筏の後を追った。そのときになってはじめておらは、やつらのことが心配になった――それまでは考えるひまがなかった。おらは、たとえ人殺しのやつらでも、あんなはめに陥（おちい）ったら、どんなに恐ろしいだろうと思いはじめた。おらは、そういう自分だって、いつ人殺しになるか分かったもんじゃねえ、そうなったらどんな気持だろうって考えた。そこでおらはジムに言った。

「明かりが見えたらすぐ、その百メートル下か上かで、おめえと舟とをかくすにいい場所を見つけて陸へ上がろう。それから、おらがうまく話をでっち上げて、あの連中が困っているところへ助け舟を出してくれって、だれかに頼みにいってくる。いよいよとなれば、やつらの首に縄がかかるかもしれねえな」

でも、この計画は失敗だった。だって、そのすぐ後でまた嵐がはじまって、こんどは前よりもっとひどく荒れはじめたからだ。どしゃ降りになって、明かりなんか一つも見えなかった。みんな寝ちまったんだな。おらたちは、明かりに気をつけ、筏を見張りながら、川をどんどん下っていった。長いことたって、雨はやっとあがったけれど、まだ雲が残っていて、いなびかりがまだピカピカやっていた。そのうちに、いちどピカッと光ったとき、何か黒い物が先のほうに流れてるのが見えたので、そっちへ向かっていった。

やっぱり筏だった。また筏の上へ戻ったときは、うれしくてたまんなかった。こんどは、ずっと右のほうの川岸に明かりが見えた。そこでおらは、そっちへ行ってみようと言った。ボートには、あの悪党どもが難破船から盗んだぶんどり品が、舟の半分くらい積んであった。おらたちはそれを筏に山のようにはこびこんだ。おらはジムに、筏を流れにまかせて、三キロくらい行ったと思ったら明かりを出して、おらが帰るまでつけたまんまにしておいてくれと言った。それからおらは、岸の明かりに向かってこぎだした。そっちのほうに近づくと、あと三つか四つ明かりが、山の中腹に見えた。それは村だった。おらは、岸の明かりに近づいていって、こぐのをやめてボートを流れるままにした。そばまで来てわかったけど、その明かりは、二艘つないだ渡し船の、船首の旗ざおにぶら下げたカンテラだった。おらは、見張りの男がどこで眠ってるかと思ってあたりを見まわすと、やがて男が、船首の綱を巻く杭に腰をかけて、両ひざのあいだに首を垂らして寝てるのを見つけた。おらは、男の肩を二、三回こづいてから泣きだした。

男は、ドキッとしたみてえにからだを起こしたが、おらだけしかいねえことがわかると、うんと背のびをしてから言った。

「おい、どうした？　泣くんじゃねえ、坊主。どうしたっていうんだ？」

おらは、

「とうちゃんと、かあちゃんと、ねえちゃんと、それから――」

それだけ言って泣きくずれた。男は、

「さあ、さあ、そんなに泣くんじゃねえ。人間にはだれでも辛えことがあるんだ。いま辛くても、いつかは楽になる。とうちゃんたちがどうした？」

「みんな――みんな――おじさんこの船の見張りですか？」

「うん」と男は、まんざらでもねえみたいな声で言った。「おれは、船長で持ち主で、航海士で、水先案内で、見張り番で、水夫長だ。時によると貨物になったり乗客になったりする。おれはジム・ホーンバックのじじいみてえに金持ちじゃねえから、やつみてえに、どこの馬の骨にもやたらに気前よくふるまって、あんなふうにジャンジャン金をばらまくなんてまねはできねえ。それでもおれは、あいつと身分をとりかえるのはまっぴらごめんだって、何度も言ってやった。船乗りの暮らしがおれには向いてるんだ。町から三キロも離れてて、なんにも面白いことがないとこに住むなんて、やつの持ち金を山と積んで、その上にもうひと山積んでくれるといっても、まっぴらごめんだってな。それから――」

おらは、そこへ口をはさんで言った。

「みんな、今すごく困っていて――」

「とうちゃんと、かあちゃんと、ねえちゃんと、ミス・フッカーです。お願いですから、渡し船で川上へ行って――」

「川上？　みんなどこにいるんだ？」

「難破船の上です」

「どの難破船だ？」

「どのって、一つしかありません」

「なに？　まさか『ウォルター・スコット』じゃあるめえな？」

「それです」

「なんだと！　いったいそんなとこで何をしてるんだ？」

「だれも、わざわざそんなとこへいったわけじゃないですよ」

「あたりめえだよ！　こりゃえれえこった、さっさと逃げ出さねえと、それっきりだぞ！　そもそも、なんだってそんな目にあったんだ？」

「そのわけは簡単です。ミス・フッカーは川上の町へ人を訪ねにいっていて——」

「うん、ブース・ランディングの町だな——それで？」

「そのブース・ランディングの町へいっていて、ちょうど日暮れどきに、黒んぼの女をつれてホースフェリー（馬に引かせる渡し船）で出発して、何ていう名前だか忘れましたけど、何とかさんていう友だちの家へ、その晩は泊まるつもりでいったんです。ところが、かじ取りのオールをなくしたので、舟がぐるっとまわって、船尾（とも）を先にしたまま三キロばかり流されて、難破船に乗り上げちまったんです。フェリーの船頭と黒んぼの女と馬は、みんな流されたけれど、ミス・フッカーだけは、難破船にしがみついて船に上がったんです。そこへ、日が暮れて一時間ばかりたってから、ぼくたちが運送船で下ってきて、あんまり暗いので難破船に気がつかないうちに、まともにぶつかって、乗り上げちまったんです。ぼくたちはみんな助かったんですけど、ビル・ホイップルだけが——ああ、よりによっていちばんいいやつが——ぼくは身代わりになってやりたいと、ほんとに思いました」

「驚いたな！　こんな話は聞いたことがねえや。それからおめえたちはどうした？」

「どなったりわめいたりしたんですけど、そこらは川幅がすごく広くて、どこへも声が届きません。そこでとうちゃんは、だれか陸（おか）へ上がって、なんとか助けを求めてこいと言いました。泳げるのはぼくだけだったので、ぼくが飛びこみました。ミス・フッカーは、もし助ける人がすぐに見つからなかったら、ここへ来て、おじさんをさがし出せば、何とかしてくれると言っていました。ぼくは、ここから一キロ半ばかり川下で陸へ上がって、今までずっとうろつきながら、みんなに何とかして下さいって頼んだんですけど、みんな、『え？　こんな晩に、こんな流れの中をか？　むちゃもいいとこだ。蒸汽渡し船をさがせ』って言うんです。もしおじさんがいって――」

「そりゃ、いってやりてえ。また、いきてえと自分でも思ってる。だけど、いってえだれが金を払ってくれるだ？　もしかして、おめえのおやじが――」

「そのことならだいじょうぶですよ。ミス・フッカーが、ぼくに念を押して言ってましたけど、ミス・フッカーのおじさんのホーンバックさんが――」

「なんだと！　おじさんだと！　いいか、向こうに見えるあの明かりめがけてつっ走れ。そこまでいったら西へまがって、四百メートルばかりいくと居酒屋があるから、そこにいる人に、ジム・ホーンバックさんとこへ急いでつれてってくれと頼むんだ。勘定はそこで払ってくれる。根掘り葉掘り聞かれるといけねえから、ぐずぐずするな。ホーンバックさんが町へ着かないうちに、めいごさんはこちらで無事にお助けしますと言うんだ。さあ、がんばっていってこい。おれは、すぐそこの角をまがって、うちの機関士をたたき起こしてくるから」

おらは、明かりのほうへ走りだしたが、男が角をまがるとすぐに引き返した。そして、ボートにとびこんで、水をかい出してから、岸にそって流れのゆるい所を五、六百メートルこいで上って、材木運搬船がかたまっている中にもぐりこんだ。渡し船（フェリー）が出発するのを見とどけるまでは、じっとしていられなかったからだ。でも、よく考えてみれば、あの悪党どものためにこんなに骨を折るなんて、あんまり人のやりそうもねえことをしてやったんで、おらも少しは気持がらくになってきた。後家のおばさんにこのことを知らしてやりてえ。あんなやくざどもを助けたっていうんで、おばさんはおらのことを自慢するだろうよ。だって、おばさんみてえなまじめ人間がいちばん興味を持ってるのは、やくざものだの、ごろつきなんて手合だもんな。

そうこうするうちに、難破船が流れてくるのが、うすぼんやりと見えてきた。からだじゅうがつめたくなってゾクゾクしたけれど、おらはそっちのほうへ行ってみた。船はだいぶ深く沈んでいて、中に生きた人がいる見込みはまずないことが、ひと目見ただけでわかった。おらは、まわりをぐるっとまわって、少しどなってみたが、なんの答えもなくて、死んだみてえに静かだった。悪党どものことを考えると、ちっと気が重かったけど、でも、やつらがそんなことを何とも思わねえなら、おらだって同じだと考えたら、ちっと気がらくになった。

そこへ渡し船がやってきたんで、おらは、ななめに流れる長い水流に乗って、川のまん中までこぎ出した。もう人の目が届かねえと思うあたりまで来てから、こぐのをやめて、ふり返ってみると、渡し船が難破船のまわりをぐるぐるまわって、ミス・フッカーの遺体をさがしているのが見えた。おじさんのホーンバックが遺体をほしがってると、船長は思っているわけだな。やがて渡し船はそれをあきらめて岸のほうへ行っちまったんで、おらも仕事にとりかかって、川をどんどん下っていった。

ジムの明かりが見えるまで、ずいぶん時間がかかったみてえだった。やっと見つかったときでも、まだ千キロも先みてえに見えた。そばまでたどりついたときには、東の空が少し白みかけていた。そこでおらたちは、ある島を目がけて進んでいって、筏をかくし、ボートを沈めると、横になって死んだみてえに眠りこんだ。

# 第十四章

やがておらたちは起き上がると、悪党どもが難破船から盗んだ品物をひっくり返してみて、長靴とか毛布とか着物とか、そのほかいろんなものを見つけた。本もたくさんあったし、小望遠鏡、それに葉巻が三箱もあった。おらたちは二人とも、生まれてからこんなに金持ちになったのははじめてだった。葉巻は上等だった。その日の午後、おらたちは、森の中でゆっくり休んでしゃべったり、おらは本を読んだりして、すっかりごきげんだった。おらはジムに、難破船の中や渡し船でのできごとをくわしく話してやった。そいで、こういうことを冒険っていうんだと教えてやると、ジムは、冒険なんかまっぴらごめんだと言った。おらが高級船員室へはいったあと、筏に乗ろうと思ってはって戻ったら、筏がなくなっていたときは、もう死ぬかと思ったそうだ。どんなふうにけりがつくにしても、自分の助かる見込みはねえとジムは思ったからだ。だって、助けが来なけりゃ溺れ死んじまうし、だれかに助けられたとしても、助けた人は賞金目あてにジムをもとの家へ送り返すだろうし、そ

うすればミス・ワトソンはジムを南部のほうへ売りとばすにきまってる、と言うんだ。それはジムの言う通りだ。ジムの言うことは、たいがいまちがいなかった。ジムは、黒んぼにしちゃ、ずばぬけて頭のいいやつだった。

おらはジムに、王様だの公爵だの伯爵だのっていう連中のことや、やつらがどんなピカピカの服を着てるか、どんなにかっこつけていばってるか、おたがいにミスターなんて言わねえで、陛下とか殿下とか閣下とか呼んでるなんていう話を、本の中からたくさん読んできかしてやった。ジムは目をまん丸にして、面白そうに聞いていた。そして言うには、

「王様がそんなにたくさんいるとは知らなかっただ。王様の話なんて、ソラモン王ぐれえのもんで、めったに聞いたことなかったもんな。もっとも、トランプのキングを勘定に入れりゃべつだが。王様って、いくらぐれえとるだ？」

「とる？　そりゃ、ほしけりゃ月に千ドルもとるさ。何でもほしいだけもらえるんだ。何でもみんな王様のものなんだから」

「すげえ！　そんで、王様って何をするだね、ハック？」

「王様が何をするもんか？　なに言ってるだ？　ただぶらぶらしてるだけよ」

「え――ほんとかね？」

「あたりまえよ。ただぶらぶらしてるだけだ。まあ、戦争でもありゃべつだがな。そうなりゃ、戦争へいく。でも、ほかの時は、ただごろごろしてるか、さもなきゃタカ狩りにいく。ただタカ

狩りと——シーッ！　なにか音が聞こえたか？」

おらたちは、飛び出してさがした。それはただ、ずっと下流の岬をまわってやってくる汽船の、外輪のパタパタという音が聞こえてきただけだった。おらたちは、またもとの所へ戻った。

「そうなんだ」おらは続けた。「それからまた、たいくつな時なんかは、議会と騒ぎをはじめるし、みんなが思う通りにやらねえと、首をポンポン切っちまうんだ。でも、たいがいはハーレムをうろうろしている」

「どこだって？」

「ハーレムだよ」

「ハーレムってなんだね？」

「かみさんたちをかこっておくとこよ。ハーレムを知らねえのか？　ソロモンだって持っていたぜ。ソロモンには百万人もかみさんがいたんだ」

「ああ、そうだっけな——すっかり忘れてただ。ハーレムってのは、下宿屋みてえなもんだべ。おおかた子供部屋じゃギャーギャーやかましいこったろうし、それに、かみさんたちのけんかがにぎやかだで、それでますます騒ぎが大きくなるだ。それでも、ソラモンほど賢い人はほかにねえっていうだが、あっしゃ信用しねえな。なぜかって言えばだ、賢い人が、そんなギャーギャーいう騒ぎの中でしょっちゅう暮らしてえと思うだべか？　いいや、そんなこたあ、あるめえ。賢い人ならばボイラー工場を建てるだべ。そうすりゃ、ゆっくり休みてえときは、ボイラー工場をしめちまえばいいだからな」

「なんだか知らねえけど、ソロモンはいちばん賢い人だったんだ。だって、後家のおばさんが自分でそう言ってただから」

「後家さんがなんと言おうとかまわねえ。あんなのは賢い人じゃねえな。あんなすっとんきょうなやり方ってのは見たことねえもん。ソラモンがまっ二つにしようとした、あの子供の話を知ってるけえ？」（旧約聖書「列王紀」上第三章第二十五節参照）

「うん、後家のおばさんがくわしく話してくれた」

「そんならいい。あんなあきれけえった考えがあるもんかね。ちょっと思い出してみろ。あすこにある切り株、あれが女のひとりとすると、ここにおめえがいて、おめえがもうひとりの女だ。おらがソラモンで、この一ドル札（さつ）が子供とすべえ。おめえたち二人とも、子供は自分のもんだって言う。そこでソラモンはどうすると思う？　近所をかけずりまわって、この札がおめえたちどっちのもんだか見きわめて、だれでもまともな考えのある人ならするように、札には傷ひとつつけねえで、正しい持ち主に返すか？　そうじゃねえ――ソラモンは札をビリッと二つにやぶいて、半分をおめえにやって、あとの半分をもうひとりの女にやるだ。ソラモンは子供をそんなふうにしようとしただよ。おめえさまにきいてえが、半分の札がなんの役に立つだね？　なんも買えやしねえ。半分の子供がなんの役に立つだね？　そんなものを百万もくれるといったって、あっしゃごめんだ」

「なに言ってるだ、ジム、それじゃまるで的はずれじゃねえか——それじゃまるっきりはずれちまってらあ」

「だれが？　あっしが？　ばか言うでねえ。まとがどうしただか知らねえが、筋が通っているかどうか、ひと目であっしにゃ分かりますだ。あんなやり方ってのは、まるっきり筋が通ってねえ。半分の子供で争いが起こったわけじゃねえんで、まるごとひとりの子供で争いが起こっただ。それだのにこの男は、まるごとひとりの子供の争いが、半分の子供で片がつくと思うなんて、雨が降ったら家にはいるくれえの分別もねえと同じだ。ソラモンの話はやめにしてくれ、ハック。あっしゃ、ソラモンのことは表も裏も知ってるだから」

「だけど、おめえの話はまるでまとがはずれてるだよ」

「まとなんかどうでもいいだ。あっしゃ、知ってることは知ってる。いいかね、本当のまとは、ずっと遠くの、ずっと深いところにあるだ。つまり、ソラモンの育ちにあるだよ。ためしに、一人か二人しか子供のいねえ人のことを考えてみるがいいだ。そんな人が子供をむだにするだかね？　しやあしねえ。もったいなくてできやしねえ。子供の値うちってものが分かってるからだ。ところが、家じゅうに子供が五百万もごろごろしてるやつだったらば、話はちがう。子供を半分にぶった切るなんか猫の子みてえに簡単だ。まだうんと余ってる。子供の一人や二人ふえようが減ろうが、ソラモンにとっちゃ問題じゃねえ、ちきしょうめ！」

ジムみてえな黒んぼは見たことがねえ。いったんあることを思いこんだが最後、ぜったい思い直そうとはしねえんだから。あんなにソロモンのことをぼろくそに言う黒んぼは見たことがねえ。そこでおらはソロモンの話はやめにして、ほかの王様の話をはじめた。まず、ずっと昔にフランスで首をはねられたルイ十六世の話をした。それから息子の皇太子のことも話した。これは、王様になるはずだったけれど、つかまって牢屋に入れられて、そこで死んだとかって話だ。

「かわいそうに」

「でも、逃げだして高飛びして、アメリカへ渡ったっていう話もあるだ」

「そいつぁ、いいや。でも、ずいぶんさびしかんべえ——ここには王様なんていねえもんな、ハック」

「うん」

「それじゃ職にもありつけめえ。何をして暮らすだ？」

「知らねえな。警察にはいるやつもありゃ、またフランス語のしゃべり方を人に教えるやつもあるんだ」

「なんだって？　フランス人はあっしたちと同じ言葉をしゃべるんでねえのか？」

「ちがうよ、ジム、おめえにはやつらの言葉は、ひとことも分からねえんだ」

「こりゃ、おったまげた！　なにして分からねえだ？」

「おらには分かんねえけど、そうなんだ。おらは、やつらのしゃべる言葉を少し本で読んだ。おめえのとこへだれかが来て、『ポリ・ヴー・フランズィー』(Parlez-vous français?のなまり)って言ったら、どう思う?」

「なんとも思わねえな。そいつの頭をぶちのめしてやるだ。白人でなければの話だけどよ。黒んぼの野郎がそんな悪態つくのを許しちゃおけねえ」

「なに言ってるだ。べつに悪態ついてるわけじゃねえ。ただおめえにフランス語を話せるかってきいてるだけだよ」

「そんなら、なんでそう言わねえだ?」

「そう言ってるんだよ。フランス人はそういう言い方をするんだ」

「えらいばかげた言い方だな。そんな話はもう聞きたくねえ。まるで筋が通らねえ」

「いいか、ジム、猫はおらたちのようにしゃべるか?」

「いいや、ちがう」

「それじゃ牛はどうだ?」

「牛もやっぱしちがう」

「猫は牛のようにしゃべるか、牛は猫のようにしゃべるか?」

「どっちもちがう」

「猫も牛もそれぞれちがうしゃべり方をするほうが当たり前で正しいでねえか?」

「そうよ」

「それじゃ猫や牛がおらたちとちがうしゃべり方をするのも当たり前で正しいでねえか?」

「おおかたその通りだべな」

「そんならば、フランス人がおらたちとちがったしゃべり方をするのも、当たり前で正しいでねえか？　答えてみろ」

「ハックよ、猫は人間だか？」

「ちがう」

「そんなら、猫が人間と同じしゃべり方をする道理はねえ。牛は人間だか？　それとも牛は猫だか？」

「いいや、どっちでもねえ」

「そんなら、牛は人間と猫のどっちとも同じしゃべり方をするわけがねえ。フランス人は人間だか？」

「そうだ」

「それみろ！　そんなら、なぜ人間みてえなしゃべり方をしねえだ？　それに答えてみろ！」

おらは、これ以上言ってもむだだと思った――黒んぼに理屈を教えることはできねえ。それで、おらはやめにした。

# 第十五章

おらたちは、あと三日でケーロに着くものと見ていた。ケーロってのは、イリノイ州の南はじの、オハイオ川との合流地点にあって、おらたちが目ざしている所だった。おらたちはそこで筏を売って、汽船に乗ってオハイオ川上流の自由州の中へはいれば、もう大丈夫だろうと思った。

ところが、二日目の晩に霧が出はじめた。霧の中を走ってもしようがねえんで、砂州に筏をつなごうと思って行ってみた。だけどおらが、つなぐ綱を持ってカヌーでこいでいったらば、小さな若木しかつなぐものがなかった。おらは、えぐれた土手のいちばんはじっこにある木の枝に綱を巻きつけた。あいにく流れが急で、筏はどんどん勢いよく流れて、枝を根こそぎ抜いていっちまった。見るまに霧が濃くなって、おらは気分が悪くなった。おっかなくて、三十秒ばかしからだも動かせねえようだった。それに、筏らしいものはどこにもなかった。二十メートル先も見えねえんだ。おらはカヌーにとび乗って、船尾のほうへ走っていって櫂をつかんで、ひとこぎしてカヌーを戻そうとした。びくとも動かねえ。あんまりあわてたんで、結び目をほどいてなかったんだ。おらは立ち上がって結び目をほどこうとしたけれど、あがっていたせいか、手が震えてどうしようもなかった。

やっと動きだすとすぐ、おらは、砂州のすぐ横をつっ走って、猛烈な勢いで筏の後を追っかけた。そこまではよかったけれど、砂州の長さが六十メートルもなかったんで、そのはじのとこを通りすぎたとたんに、真白な濃い霧の中へつっこんじまって、めくら同然、どっちへ進んでるんだか、さっぱり分かんなくなった。

おらは、こいじゃいけねえと思った。あっというまに土手か砂州かなんかにぶつかるにきまってる。じっとして流されてるのがいちばんだ。でも、こんな時に両手をじっとしてなきゃなんねえのは、えらく落ち着かねえもんだ。おらは、おーいとどなって耳をすました。どこかずっと川下のほうでおーいという小さい声が聞こえたんで、おらは急に元気が出た。もう一度聞こえねえかと耳をすましながら、そっちのほうへつっ走った。その次に声が聞こえた時には、カヌーはそっちへ向かわねえで右のほうへ外れていた。またその次には左へ外れていて、さっぱり声に近づいていなかった。だって、おらがあっちこっち飛びまわっているあいだ、声のほうはまっすぐにどんどん進んでいたんだからな。

おらは、あのばか野郎がブリキのなべでもたたくことを思いついて、ずっとたたき続けてくれればいいのにと思ったが、そんなこともしねえので、声と声の間の、なんにも聞こえねえ時は困っちまった。とにかくどんどんこいでいくと、やがてこんどは後ろのほうで声が聞こえた。これでおらは、まるでわけが分からなくなった。だれかほかのやつがどなったのか、それともおらが後ろ向きになっちまったんだ。

おらは櫂を投げだした。また声が聞こえた。まだ後ろだけど、ちがう場所だった。近づきながら、しょっちゅう場所が変わる。おらも返事を続けていたが、そのうち声がまた前に移ったんで、カヌーのへさきが流れに押されて下流に向いたことがわかって安心した。だれかほかの筏師がどなってるんでなくて、ジムの声ならばいいんだ。霧の中じゃ、さっぱり声の区別がつかなかった。なにしろ霧の中じゃ、目に見えるものも耳に聞こえるものも、ふだんとまるでちがうからな。

どなる声はまだ聞こえていたけど、それから一分ばかりすると、おらは、えぐれた土手の上に、でかい木が何本もおばけみてえにぼうっと立ってるとこへ、ぐんぐん走っていた。そのうち流れが変わって左のほうへ投げだされて、沈み木がごうごう音を立ててる中をつっ走った。川がすごい勢いで流れてるもんだからそんな音がするんだ。

また一、二秒のうちに、こんどは一面まっ白になって、なんの音もしなくなった。そこでおらも、じっとしたまま心臓がドキドキいう音を聞いていた。百回ドキドキいう間に、一回も息をしなかったみてえな気がする。

それでおらはあきらめちまった。やっとわけが分かった。えぐれた土手だと思ったのはじつは島で、ジムは島の向こう側へいっちまったんだ。砂州でもなかった。砂州なら十分くらいで通りすぎるもんだ。その木は本物の島に生えてる大きな森の木で、島の長さは八、九キロ、幅は一キロもありそうだった。

おらは耳をピンと立てたまま、十五分ばかりもじっとしていたろうか。もちろん、時速七、八キロくらいで流れていたけど、まるでそんな気はしねえ。それどころか、川の上でじっとしたまま横になってるみてえな気がした。沈み木がすっと通りすぎるのがちらっと見えても、自分がすごく早く流れてるとは思われねえで、息を止めて、わあ、あそこを沈み木がすっ飛んでいく、なんて思っちまった。夜中に、ひとりぽっちで、霧の中でそんなふうにしていると、どんなに陰気でさみしくなるもんだか、うそだと思ったら自分で一回やってみるとよく分かるだろうよ。

その後三十分ばかし、おらは間をおいてどなってみた。やっと遠くのほうで返事が聞こえたんで、あとをつけようとしたけどだめだった。砂州の入り組んでいる中に入りこんじまったことがすぐに分かった。両側に砂州が暗くちらちら見えて、その間に狭い水路がやっと通っている所もあった。砂州が見えなくても、土手の下に垂れている枯れ枝やごみに波のぶつかる音が聞こえるんで、砂州だってことが分かる時もあった。おらも、いつまでも砂州のあいだを、聞こえねえ声を追っかけてはいなかった。鬼火を追っかけるより始末が悪いもんな。あんなに軽く動きまわって、すぐにあちこち場所を変える声なんて、生まれてはじめてだ。

おらは、カヌーが島にぶつかって川からとび出さねえように、四回も五回も、勢いよく土手からカヌーを離さなきゃならなかった。それで考えてみると、筏も、しょっちゅう土手にぶつかってるにちげえねえ。さもなけりゃ、ずっと前へ進んで、音も聞こえねえ所へいっちまってるだろう——こちらより少し早く流れてたもんな。

やがてカヌーは、また広い川の中へ出たらしくて、どなる声なんぞどこにも聞こえなくなった。

たぶんジムは沈み木にぶつかって、それでおだぶつになったものとおらは思った。おらはへとへとにつかれたんで、カヌーに横になって、めんどくせえと言った。もちろん眠りたくはなかったけど、眠くてどうにもがまんできねえので、ほんのちょっとだけうたたねしようと思った。

ところが、思ったより寝すごしたらしくて、目をさますと、霧はすっかり晴れて星がキラキラ輝いて、カヌーは船尾(とも)を頭にして、大きな曲り角をすごい勢いで走っていた。最初はどこにいるんだか分からなくて、夢でも見てるのかと思った。だんだん思い出しかけても、まるで先週のできごとみたいにぼんやりしていた。

このあたりは川幅がものすごく広くて、どちら側の岸にも、いやに高い木がびっしり生えていた。星の光ですかして見ると、まるでがんじょうな壁みたいだった。ずっと川下を見ると、小さな黒い点が水の上に見えた。おらはその後を追ってみたが、そばまで来ると、なんのことはない、丸太が二本くくってあるだけだった。それからまた点が見えたので、それも追いかけた。それから、またひとつ。こんどは思った通りで、筏だった。

そばに寄ると、ジムが、両ひざで頭をはさむようにして眠っていた。右手はかじとりオールの上にかかっていたが、もう一本のオールはペシャンコに折れて、筏の上には木の葉や枝やごみがいっぱい散らかっていた。やっぱりひどい目にあっていたんだな。

おらはカヌーをつないでから、筏に上がると、ジムの目の前で横になって、あくびをしたり、背のびして手をジムの方へつき出したりして言った。

「おい、ジム、おらは眠ってたのか？　なぜ起こしてくれなかったんだ？」

「こりゃたまげた！　ハック、おめえさんだか？　死んだでねえだか？　溺れたでねえのか？　また戻ってきただか？　ほんととは思われねえ、ハック、ほんととは思われねえだよ。顔を見せてくれ、ハック、からだにさわらしてくれ。ほんとだ、死んじゃいねえ！　ピンピン元気で戻ってきただ、もとのまんまのハックだ——ありがてえ、もとのまんまのハックだ！」

「どうしたっていうんだ、ジム？　酒でも飲んでたのか？」

「酒を？　あっしが酒を飲んでた？　酒を飲むひまなんてあるもんかよ！」

「それじゃなぜ、そんな夢みてえな話をするんだ？」

「どこが夢みてえな話だ？」

「どこがって、おらが戻ってきただのなんだの、まるでおらがどこかへいってたみてえな話をするじゃねえか」

「ハックよ、ハック・フィンよ、あっしの目をよく見てくんなせえ。よく見るだよ。おめえさん、ほんとにどこへもいってなかっただか？」

「いくって、いったい何の話をしているだ？　おら、どこへもいきゃしねえよ。いくとこがどこにあるだね？」

「ちょっと待ってくれ、おめえさん、どこか狂ってるみてえだ。このあっしは、あっしか、それともほかのだれかか？　あっしは、ここにいるだか、それともほかのとこにいるだか？　そこんとこが、どうもよく分かんねえ」

「おめえはここにいるにきまってるじゃねえか。だけどおめえは、ほんとに頭が狂ってばかになっちまっただな」

「あっしがけえ？　ところでちょっとききてえが、おめえさん、筏を砂州につなぐんで綱をカヌーに持ちこんだだな？」

「知らねえよ。砂州ってどこの？　砂州なんか見たこともねえ」

「砂州を見てねえ？　ほら、綱がほどけて、筏がどんどん川を下っていっちまって、おめえさんとカヌーを霧の中へおきざりにしたでねえか」

「霧って、どこの？」

「ほら、あの霧だ、ひと晩じゅう消えなかったあの霧だよ。それから、おめえさんがどなって、あっしもどなり返して、そのうち島のあいだにはまりこんで、どこにいるだか分かんなくなって、あっしが道に迷ったか、おめえさんが迷ったか、わけが分かんなくなったでねえか。それからあっしは島にやたらにぶつかって、えれえ目にあって、溺れ死にしそうになったでねえか。そうでねえのか、おめえさん、そうでねえのか？　答えてくだせえ」

「だって、おらにはさっぱり分からねえよ。霧も見なきゃ島も見ねえし、道に迷ったことなんか、ちっともありゃしねえ。ここにすわっておめえとひと晩じゅうしゃべってるうちに、おめえは十分ばかし前に眠っちまったけど、おらもやっぱし眠ったらしいや。その間におめえが酒を飲むわけはねえから、夢を見ていたにちげえねえよ」

「ばかばかしい、十分のあいだにどうしてそんなにいろんな夢が見られるだかよ」

「だって、実際に起こってねえことばかしだもん、夢を見たにきまってるでねえか」

「だけど、ハック、あんなにはっきりと――」

「いくらはっきりだって関係ねえよ、ありもしねえことばかりだもん。おら、ずっとここにいたんだから、たしかだ」

ジムは五分ばかり何にも言わねえで、すわったままじっと考えこんでいたが、やがて言った。

「そんだら、ハック、あっしが夢を見ただべ。だが、まったく、どえれえ夢を見たもんだ。それに、こんなに疲れる夢を見たのも生まれてはじめてだ」

「なに、驚くことはねえ。夢だって、ほかのことと同じように、からだが疲れることはよくあるだ。それにしても、すげえ夢だな。くわしく話してくれよ、ジム」

そこでジムは、よしとばかり、一部始終を起こった通りくわしく話してくれたが、ただ、話にだいぶ尾ひれがくっついていた。それからジムは、このできごとは警告（いましめ）のために起こったことだから、お告げの「意味」を考えださなきゃいけねえと言った。そして、最初の砂州は、おらたちの味方をしようとした人を表わしていて、川の流れは、その人をおらたちから遠ざけようとするもうひとりの人を表わしてるんだと言った。どなっていた声は、間をおいておらたちに与えられたいましめの声で、一生懸命その意味をとるようにつとめねえと、おらたちを守ってくれるかわりに不幸な目にあわせるんだそうだ。砂州がたくさんあったのは、おらたちが、けんか好きな連中や、いろんないやなやつらとぶつかって困った目にあうという意味だけど、おらたちがおとなしくして、やつらに口答えしたり怒らせたりしなければ、無事に切りぬけられる。霧をくぐって大きなきれいな川に出てくれば、そこは自由州で、あとは何の心配もないというんだ。

おらが筏に乗り移ったすぐ後、空が曇ってすっかり暗くなったが、こんどはまた晴れてきた。

「なるほど、そこまではお告げの意味が、たしかによく分かったけどな、ジム」おらは言った。「ここにある物は、どういう意味を表わしてるんだ？」

それは、筏の上に散らばってる木の葉やごみや、それから折れたオールなんかのことだ。晴れたんで、そんな物がはっきり見えるようになった。

ジムは、散らかったごみを見て、こんどはおらのほうを見て、またごみのほうを見た。ジムの頭の中には夢のことが強くこびりついていたんで、そいつを払いのけて、また実際のできごとをもとの通り思い出すことが、すぐにはできねえみたいだった。でも、やっとのことで話の筋道をまっすぐたどると、ジムは、にこりともしねえで、おらの顔をじっと見つめて言った。

「どういう意味だって？ 話してやるから聞きなせえ。あっしは、くたくたになるまで働いたり、おめえさんの名前を呼んだりしてから眠ったけんど、おめえさんがいなくなったんで胸がつぶれそうになって、自分や筏なんかどうなったってかまわねえと思っただ。それから目をさましたら、おめえさんが無事に元気でまた戻ってきたんで、うれしさのあまり涙が出て、ひざまずいておめえさんの足にキスしてえくれえだった。それなのに、おめえさんときたら、どうやってジムの野郎をだましてからかってやろうかって、そればかし考えていただな。そこに散らばってるのはごみくずだ。だけど、友だちの頭にごみをぶちまけて恥をかかせるような人間も、やっぱしくずだべ」

そう言うとジムはゆっくり立ち上がって、小屋まで歩いていって中にはいった。それっきり何も言わなかったけど、それで充分だった。おらはとても恥ずかしくって、取り返しがつくもんなら、ジムの足にキスしてもいいと思ったくれえだ。

おらがやっと腰を上げて、わざわざ黒んぼのジムのところまで行ってあやまったのは、それから十五分も後のことだが——思いきってそうしたことを、おらはあとでちっとも後悔していねえ。それ以後おらは、ジムをペテンにかけるようなまねは一つもしなかった。あの時だって、ジムにあんな思いをさせると知ったら、やりゃしなかっただろうに。

# 第十六章

おらたちは、まる一日ちかく眠ってから、夜になって出発して、ものすごく長い筏の少し後についていった。まるで行列が通りすぎるみてえに長かった。前後に四本の長いオールがついていて、たぶん三十人くらいははこべる筏だと思った。上には大きな小屋が五つも、あいだをおいて並んでいて、まん中ではたき火をむき出しでたいていた。両はじに高い旗竿が立っていた。すごくかっこいい筏だった。こんなのを動かす筏師になれたら、てえしたもんだな。

流れていくうちに、大きな曲り角にさしかかるころ、夜空がすっかり曇って、暑くなってきた。川幅はすごく広くて、両岸には壁みたいにびっしり木が生えていた。ほとんどすきま一つないし、明かりも見えなかった。おらたちはケーロのことを話し合ったが、そばまで来たら分かるだろうかと心配だった。おらは、たぶんだめだろうと言った。だって、ケーロには家が十軒くらいしかねえという話だし、ちょうどそのときに明かりをつけていなければ、町のそばを通ってることなんか分かりっこねえもの。ジムは、大きな川が二つそこで合流していれば分かるはずだと言ったが、おらは、ひょっとすると、島のはずれを通りすぎただけで、やっぱり同じ川を下ってると思いちがいするかもしれねえと言った。それでジムは心配になりだして、おらも心配だった。そこで問題はどうすればいいかってことだ。おらは、最初に明かりが見えたらすぐ岸へこぎよせて、とうちゃんが後から運送船で来るんですけど、まだ仕事に馴れてねえから、ケーロまであとどのくらいあるか教えてくれませんかって、人にたずねちゃどうだと言った。ジムもそれはいい考えだと言ったんで、おらたちは一服やりながら明かりが見えるのを待った。

あとはただ、見のがして通りすぎねえように、町が現われるのをよく見張っているよりほか、なんにもすることはなかった。ジムは、町が見えたらすぐ自由になれるけど、見のがしたらまた奴隷州に逆戻りで、二度と自由になる機会はなくなるわけだから、かならず見のがすことはねえと言った。ジムは、しょっちゅう跳び上がっては、「ほら見えた！」と言った。

みんなちがっていた。鬼火か、さもなきゃホタルだった。ジムはまたすわりこんで、前と同じように監視を続けた。ジムは、もうすぐ自由になれると思うと、からだじゅうがガタガタ震えて熱病にかかったみてえだと言った。じつを言うと、おらのほうでも、ジムがそう言うのを聞いて、からだじゅうがガタガタ震えて熱病にかかったみてえになった。だって、ジムがもう少しで自由になるってことが、はっきり分かってきはじめると――それはだれのせいだ？　おらにきまってるじゃねえか。おらはそれで気がとがめて、どうにもこうにもならなかった。心配で休むこともできず、一か所にじっとしていることもできなかった。それまでは、おらのしていることがどんなことか、自分ではまるで分かっていなかった。それが今やっと分かってくると、胸の中でしこりになって、じりじりとおらを苦しめはじめた。おらはジムを本当の持ち主から盗んで逃がしたわけじゃねえから、とがめられる筋はねえと、自分で自分に言って聞かせようとしたけど、だめだった。そのたんびに良心が声を上げて、「だっておまえは、ジムが自由を求めて逃亡したことを知ってたんだから、岸までこいでいってだれかに話せば話せたじゃないか」と言う。それはその通りで、どうやってもおらは言いぬけができなかった。そこがつらいとこだった。良心がおらに向かって、「ミス・ワトソンにどんなことをしてもらったお返しに、おまえは、ミス・ワトソンの黒んぼが逃げ出すのを目の前で見ていながら、ひとことも言わないのだ？ かわいそうなばあさんに、何をされたからって、おまえはそんなむごい仕返しをするのだ？ ばあさんはおまえに本を教えようとしたり、行儀を教えようとしたり、できる限りの方法でおまえにやさしくしようとしたではないか？ それがばあさんのしてくれたことだぞ」と言うんだ。

おらは、恥ずかしいやら情けないやらで、死んじまいたいような気がした。おらは、筏の上をせかせか行ったり来たりしながら、われとわが身を責めていたが、ジムもおらのそばを、せかせか行ったり来たりしていた。二人ともじっとしていられなかった。ジムがおどり上がって「ケーロだ！」と言うたんびに、その言葉がおらの胸にぐさっと突き刺さって、もしほんとにケーロだったら、おらはみじめさのあまり死んじまうかもしれねえと思った。

おらがそうやって心の中で考えている間じゅうずっと、ジムは声を上げてしゃべっていた。そして言うには、自由州へ着いてまず第一にすることは、一セントもむだ使いしねえで貯金を始めることだ。たくさん貯まったら、ミス・ワトソン家のそばの農場の持ち物になってる女房を買い戻して、それから夫婦で働いて二人の子供を買い取るだ。もし子供たちの主人が売らねえって言ったら、奴隷反対派の人に頼んで盗んできてもらうだ。

そんな話を聞いて、おらはゾッとした。ジムがこんな口をきくことは、生まれてこのかた一度もなかっただろうに。もうじき自由になると思ったとたんに、こんなにも人間が変わっちまうもんだろうか。昔からの言い伝えに「黒んぼを甘やかせば、すぐつけ上がる」ってのはこのことだ。これというのも、おらがよく考えなかったためだと思う。この黒んぼときたら、おらが逃亡を助けてやったようなものなのに、もうつけ上がって、子供を盗み出すなんて言ってやがる——その子供は、おらの見たこともねえ人の持ち物で、その人はおらになんも悪いことなんかしたことのねえ人だ。

そんなジムの話を聞くと、ジムの値うちが下がったような気がして、おらはがっかりした。おらの良心が、ますます激しくおらを突き上げはじめたんで、がまんできなくなって、おらは言った。「うっちゃっといてくれ——まだ遅くはねえ——最初の明かりが見えたら、岸までこいでいって、話すから」そう言ったとたんに、おらはほっとして、うれしくて浮かれ気分になった。胸のしこりも消えてなくなった。歌の一つも出そうな調子で、明かりを見張る仕事にとりかかった。やがて明かりが一つ見えた。ジムがどなる。

「だいじょうぶだ、ハック、もうだいじょうぶだよ！　跳び上がってかかとをぶっつけろ、思った通り、やっと待ちかねたケーロだぞ！」

「ジム、おらがカヌーに乗って見てくる。ちがうといけねえからな」

ジムは跳び上がってカヌーの支度をすると、自分の古い上着を底に敷いておらの席を作ってから、櫂(かい)を渡してくれた。おらがこぎだすとき、ジムは言った。

「あっしがうれしい叫び声を上げるのも、もうすぐだ。そしたらあっしは、これもみんなハックのおかげだって言うだ。おらは自由の身になったが、ハックがいなかったら自由にはなれなかったださ。ハックのおかげだ。ジムはけっして忘れはしねえ、ハック。おめえさまのような仲間にこのジムは出会ったことがねえ。それに今じゃ、おめえさまがジムのたった一人の味方だ」

おらは、ジムを密告しようと思いつめて、カヌーをこぎ出そうとしていたが、ジムのこの言葉を聞くと、なんだか、すっかり出鼻をくじかれたみてえになった。それでカヌーの出足もおそくなり、出てきてよかったと思ってるのか、そうじゃねえのか、自分の気持がはっきり分かんなくなった。五十メートルばかり進んだ所でジムが、

「いってくれるけえ、ハック、ありがてえな。このジムに約束を果たしてくれた心のきれえな紳士は、おめえさまだけだよ」と言った。

それでおらは気分が悪くなった。それでもおらは、どうしてもやるんだ、いまさら後へは引けねえ、と思った。ちょうどそのとき、銃を持った二人の男をのせた小舟がやってきて、そばへ舟を止めたので、おらも止めた。なかの一人が言う。

「向こうに見えるのは何だ?」

「筏です」

「おまえの乗ってる筏か？」

「そうです」

「上にだれかいるか？」

「一人だけです」

「あのな、こん晩、川曲りの上のほうで、五人の黒んぼが逃げたんだ。おめえの筏の男は白か黒か？」

おらは、とっさに返事ができなかった。答えようと思ったけど、言葉が出てこなかった。勇気をふるって言ってしまおうと、しばらく努力してみたが、勇気が足りなかった――ウサギほどのきもっ玉もなかった。弱気になってるのが自分でも分かった。そこでおらはあきらめて、思いきって言った。

「白人です」

「おれたちがいって調べよう」

「お願いします」おらは言った。「あすこにはとうちゃんがいます。それから、岸の明かりのある所まで筏を引っぱっていくのを手伝っていただきたいんです。とうちゃんは病気で――かあちゃんとメアリー・アンもやっぱり病気なんです」

「ちぇっ！　おれたちは急いでるんだぞ。でも、いかなきゃなるまい。さあ――櫂をとって、出発だ」

おらは櫂を手にとり、やつらもオールをこぎはじめた。ひとこぎ二こぎしたあたりで、おらは言った。

「きっとうちゃんは感謝すると思います。筏を岸まで引っぱるのを手伝って下さいって、だれに頼んでも、みんないやがっていっちまうし、ぼくひとりじゃできないんですから」

「そりゃ、ひでえことをしやがる。しかし、おかしいな。おい、小僧、おまえのおやじの病気は何だ？」

「それは──その──ええと、べつにたいしたことじゃありません」

二人はこぐのをやめた。筏までは、もうほんのわずかという所まで来ていた。なかの一人が言った。

「うそをつけ。おやじの本当の病気は何なのだ。正直に答えろ。さもないと、ためにならねえぞ」

「言います、正直に言います──でも、お願いだからいかないで下さい。あの──あの──おじさんたちが先にこいでいってさえ下されば、ぼくがみよし綱(へさきから岸へ投げて船をつなぎとめる綱)を投げますから、そうすれば筏のそばへ来なくてもいいですよ──お願いします」

「舟を戻せ、ジョン、舟を戻せ」一人が言った。二人はオールを逆さにこいだ。「そこをどけ、小僧。風下へ寄れ。ちくしょう、風に乗ってこっちへ飛んでくるぞ。おめえのおやじは天然痘に

かかっているんだ。おめえもようく承知しているくせに、なぜそんならそうとはっきり言わなかったんだ？　そこらじゅうにまき散らしてえのか？」

「だって」おらは、べそをかきながら言った。「はじめはみんなに話しました。すると、みんな、ぼくたちを置きざりにして、いっちまったんです」

「かわいそうだが、それも無理はねえ。おれたちも本当に気の毒だとは思うが、でもな――くわばら、くわばら、天然痘にはかかりたくねえ。よく聞けよ、どうすればいいか教えてやる。自分ひとりで陸へ上がろうとしちゃいけねえ。そんなことをすりゃ、何もかもめちゃくちゃだ。三十キロばかりは筏を流れにまかせていけ。やがて川の左側に町が見えてくる。そのころは日もだいぶ高くなってるだろうから、助けを求めて、家の者がおこりにやられて熱を出してるって言うんだ。本当のことを人に気どられるような、ばかなまねを二度とするんじゃねえぞ。おれたちは親切で教えてやってるんだ。お願いだから、おれたちと三十キロ離れてくれ。あそこの明かりの所に上がっても仕方がねえ——あれはただの薪(まき)置き場だ。おい、おめえのおやじさんは貧乏なんだろう。まったく運が悪かったとしか言いようがねえ。さあ、この板の上に二十ドル金貨を一枚置いておくから、流れついたら取っておけ。おめえたちを置きざりにするのは、ひどく気がとがめるが、くわばら、くわばら、天然痘にはさわらぬ神にたたりなしだ」

「待て、パーカー」ともう一人が言った。「おれも二十ドル金貨を板にのせてやる。さよなら、坊や、パーカーさんの言う通りにすりゃだいじょうぶだからな」

「その通りだよ、坊や——さよなら、さよなら。逃亡奴隷を見かけたら、助太刀を頼んでつかまえるんだ。そうすれば、いくらかの金になるからな」

「おじさん、さよなら」おらは言った。「できれば逃亡奴隷を見のがしたりしませんよ」

二人は行ってしまった。おらは筏の上へ戻ったが、いやな気分で元気がなかった。だって、自分でもまちがったことをしたのがよく分かっていたし、正しいことをしようとしてもおらにはできねえと思ったからだ。小さいころのやり始めが正しくなかった者は、もう見込みがねえんだ——いざという時に支えになって、最後までやりとげさせてくれる後ろ立てがねえから、負けちまうんだ。それからおらは、ちょっと考えて、待てよ、とひとりごとを言った——かりに、正しいことをして、ジムを引き渡したとしたら、今よりいい気分になっていただろうか? そうはならねえ。いやな気分だろう——今と全然同じ気分だろうよ。それじゃ、せっかく正しいことをやろうとしたってなんの役に立つ？　正しいことをするほうが骨が折れて、まちがったことをするほうが骨が折れねえで、しかも報いは同じならば？　おらは、ぐっとつまって、それに答えられなかった。そこでおらは、そんなことでくよくよするのはもうやめにして、これから先はいつでもその時にいちばんやりやすいことをやろうと思った。

おらは小屋の中へはいった。ジムはそこにいなかった。あたりを見まわしたが、どこにもいなかった。おらは「ジム！」と呼んだ。

「ここだよ、ハック。もういなくなったか？　大きな声を出すでねえよ」

ジムは川にもぐって、船尾(とも)のオールの下から鼻だけ出していた。おらがやつらはいなくなったと言うと、やっと上がってきて、言った。

「話は残らず聞いていたで、やつらが筏へ上がってきたら、川にもぐって岸まで泳ぐつもりだった。それから、いなくなったら、また筏まで泳いで帰るつもりだっただ。だけど、まあ、ハック、おめえさんはうまくだましただな！　まんまと一杯くわしただな！　まったく、おかげさまでこのジムは助かっただ――ジムはこの恩をけっして忘れねえだよ、ハック」

それからおらたちはお金の話をした。二十ドル金貨一枚ずつとは、えらい大もうけだ。ジムは、これで汽船の切符も買えるし、自由州に着くまで金には困らないと言った。それから、筏であと三十キロはたいした道のりじゃねえが、早くそこへ着きたいもんだと言った。

夜明けごろ、おらたちは筏を岸につないだが、ジムは、筏をしっかりかくさなければと、いやにやかましく言った。それからジムは、荷物をまとめて包みを作り、いつでも筏暮らしをやめられる用意をするのに一日じゅうかかりきりだった。

その晩の十時ごろ、ずっと川下の左側の曲り目に、町の明かりが見えてきた。

おらは、どこの町だかたずねようと、カヌーで出かけた。まもなく、小舟を川へ出して流し釣りの糸を垂れている人を見つけたんで、そばへよって、「おじさん、あの町はケーロですか？」とたずねた。

「ケーロ？　ちがう。おめえはよっぽどばかだな」

「それじゃなんていう町ですか？」

「知りたきゃ、自分でいって聞いてこい。ここにあと三十秒もぐずぐずして邪魔をしやがると、ありがたくない目にあわしてやるぞ」

おらは筏までこいで帰った。ジムはひどくがっかりしていたが、おらは、この次の町はケーロだろうから心配するなと言った。

おらたちは、夜明け前にもう一つ町を通りすぎた。おらはまた出かけていこうとしたけど、そこは高台になっていたんで、いかなかった。ケーロのあたりには高台はないって、ジムが言ってたのを、おらは忘れていた。おらたちは、左側の岸のすぐそばの砂州に筏をつないで、昼のあいだは休むことにした。おらは、どうもおかしいと思いはじめた。ジムも同じだった。おらは言った。

「ひょっとすると、あの晩、霧の中でケーロを通りすぎちまったのかもしれねえ」

「その話はやめにすべえや、ハック。黒んぼには運がねえだ。前から思っていただが、あのガラガラヘビの皮のたたりはまだ終わってねえだな」とジム。

「あのヘビの皮を見なきゃよかったな、ジム――まったく、あんなものを見なきゃよかった」

「おめえさんの罪じゃねえよ、ハック、知らなかっただもの。そんなことでわが身を責めるじゃねえ」

夜が明けてみると、思った通り、澄んだオハイオ川の水が岸近くを流れていて、その外側を相変わらず濁ったミシシッピーが流れていた。やっぱりケーロはもうだめだった。

おらたちはよく考えて話し合った。陸(おか)へ上がってもしようがねえし、もちろん筏を上流へ引いて戻ることはできねえ。暗くなるのを待って、カヌーで引き返して運だめしをしてみるよりほかに仕方がなかった。そこでおらたちは、元気で仕事にとりかかれるように、ポプラの茂みのあいだで一日眠った。そして日が暮れるころ筏のところへ戻ってみると、カヌーがなくなっていた！

おらたちは長いあいだひとことも口をきかなかった。なんにも言うことがなかったんだ。またガラガラヘビの皮がたたりをしたことは、二人とも分かりすぎるくらい分かっていた。だから、とやかく言ってみたってなんの役にも立ちゃしねえ。言えば言っただけケチをつけてることになって、その分だけまた余計な災難がふりかかるにきまってる――しかも、分かりました、おとなしくしていますって言うまでは、いつまでも災難がやまらねえんだ。

やがておらたちは、どうしたらいいか話し合った末に、このまま筏で下っていって、機会があったらカヌーを買って、それでこぎ戻るよりほかに仕方がねえことが分かった。とうちゃんならば、人がいねえ時にひとつ拝借するところだが、そんなことをして後を追いかけられるといけねえから、それはやらねえことにした。

そこでおらたちは、日が暮れてから、筏に乗って出発した。

ヘビの皮のおかげでおらたちがどんな目にあったか話しても、ヘビの皮をいじくるのは利口じゃねえってことが、まだよく分からねえ人がいるとしたら、これから先の話を読んで、その後へビの皮がどれだけおらたちにたたったかを知ったらば、いくらなんでも信じるだろうよ。

カヌートを買う場所は、筏を岸につないだ所の向こうなんだけど、どこにも筏をつないだ所が見えなかったんで、おらたちは三時間以上も走っていっちまった。そのうちに夜空が暗くなって、とっぷり暮れてきた。こいつは霧の次にいやなもんだ。川の形も分かんなきゃ、距離もさっぱり分からねえ。時間もおそくなって、しんとしてきたころ、一隻の汽船が川を上ってやってきた。おらたちはカンテラに火を入れて、これで汽船から見えるだろうと思った。上りの船は、普通はおらたちのそばへは来ねえで、離れた砂州のそばを通ったり、浅瀬に近くて流れのゆるやかな所をさがして行ったりするもんだけれど、こんな晩には、川全体を相手にして、まっすぐに流れを突き進んでくるんだ。

汽船がぐんぐん進んでくる音が耳には聞こえたけれど、そばに来るまで姿はよく見えなかった。汽船はまともにおらたちのほうに向かっていた。これは汽船がよくやることで、やつらは、接触しないでどのくらいそばまで来られるかためしているんだ。時によるとオールが外輪に食いちぎられることがあるが、そんな時には水先案内が首をつき出して、どんなもんだと腕前を自慢して笑うんだ。いよいよ汽船が近づいてきた。そばをかすって通るつもりだろうとおらたちも話し合ったけれど、汽船は少しも向きを変えるような様子はなかった。でかい汽船で、しかも大急ぎでやってくるから、まるで黒雲のまわりにホタルの群れが何列もくっついてるみたいだった。ところが、びっくりするようなでかい図体が、いきなり目の前にニュッと現れた。火室の戸がぱっくりあいて、真赤に燃える歯がぎらぎら光ってるみたいなのが、ずらりと並んでいた。すごくでかい舳先と甲板の出っ張りが、おらたちの頭の上におっかぶさった。おらたちにどなる声と、エンジンを止めさせるために鐘をジャランジャラン鳴らす音と、ガヤガヤしゃべる声と、汽笛の鳴る音が聞こえた――そして、ジムが一方から水へ跳びこみ、おらが反対のほうへ跳びこむ間もなく、汽船は筏のまん中へまっすぐにぶち当たってきた。

おらはもぐった――川の底まで行こうと思った。だって、九メートルの外輪がおらの上を通りすぎるわけだから、たっぷり間隔をあけておこうと思ったんだ。おらはいつだって一分間は水中にもぐれるんだが、この時はたぶん一分半はもぐっていただろう。それから大急ぎで水面へおどり出た。もう少しで胸が破裂しそうだった。おらは、わきの下あたりまで跳び上がって、鼻から水を吹き出して、ほっと息をついた。もちろんそこらはすごい急な流れだったんで、汽船はエンジンを十秒ばかし止めたあと、またエンジンをかけた。そもそも筏乗りのことなんか、たいして気にかけちゃいねえんだ。やがて汽船は波を蹴立てて川を上りはじめ、音は聞こえていたけれど、姿は濃い闇の中にかくれて見えなくなった。

おらは十回あまりも大声でジムを呼んだけど、なんの答もなかった。それでおらは、「立ち泳ぎ」をしているときからだにさわった板をつかんで、それを前へ押しながら岸に向かって泳いでいった。だけど、流れの向きが左側の岸に寄ってることに気がついたんで、自分が横断の水路にはいってることが分かった。そこでおらは向きを変えて、そっちのほうへ進んだ。それは例の、斜めに三キロも長く続く水路で、渡りきるまでずいぶん時間がかかった。おらは無事に上陸して土手をよじ登った。先のほうは少ししか見えなかったけど、ごつごつした地面を四百メートルかそこら、様子を見ながらぶらぶら行くうちに、いきなり一軒の古風な二棟つづきの丸太作りの家の前へ出た。おらは急いでよけて通ろうと思ったところが、何匹も犬が飛び出してきて、ワンワンキャンキャンほえはじめたんで、こいつは一歩も動かねえほうが利口だと思った。

# 第十七章

三十秒ばかりして、だれかが、首は出さないで窓から言った。

「ほえるのはやめろ！　だれだ、そこにいるのは？」

「おらです」

「おらってだれだ？」

「ジョージ・ジャクソンです」

「何の用だ？」

「何も用はありません。ただここを通りたいだけなのに、犬が通してくれないんです」

「こんな夜おそく、なんでこんなところをうろついているんだ――え？」

「うろついてるわけじゃありません。おら、汽船の甲板から落っこちたんです」

「なに、汽船から落ちた？　おい、だれか明かりをつけろ。名前は何と言ったかな？」

「ジョージ・ジャクソンです。子供です」

「よく聞け。もしおまえの言っていることが本当なら、心配することはない――だれもおまえに危害は加えないからな。ただ、動いてはならん。そこにそのまま立っておれ。だれか、ボブとトムを起こして、銃を持ってこさせろ。ジョージ・ジャクソン、おまえといっしょにだれかいるか？」

「だれもいません」

やがて、家の中で人が動きまわる音がして、明かりが見えた。その人がどなった。

「ばかもの、その明かりをどけろ、ベッツィー――そんなことが分からんのか？　明かりは玄関の戸の後ろの床の上におくんだ。ボブ、おまえとトムは、準備ができたら部署につけ」

「準備完了です」

「おい、ジョージ・ジャクソン、おまえはシェパードソン家の者を知っているか？」

「いいえ。そんな名前は聞いたこともありません」

「ふん、そうかもしらんし、そうでないかもしらんな。よし、準備完了だ。一歩前へ出ろ、ジョージ・ジャクソン。いいか、急ぐな――うんとゆっくり来い。もしだれかいっしょにいるなら、後ろに退れと言え――姿を見せたら撃たれるぞ。さあ来い。ゆっくり来るんだ。ドアを押してあけろ、自分で――やっとからだがはいるだけの広さだ、いいか」

おらは急がなかった。急ごうと思ったってできるもんじゃねえ。おらは一歩ずつゆっくり歩いたが、音ひとつしねえので、自分の心臓の音が聞こえるような気がした。犬も人間と同じくらい静かにしながら、少し離れて後からついてきた。丸太を三本並べた入口の踏み段のところまでくると、中で錠前とかんぬきと差し金をはずす音が聞こえた。おらはドアに手をかけて、ちょっと押した。それからまたちょっと押すと、だれかが、「よし、それでたくさんだ——首をつっこめ」と言った。おらはその通りにしたが、首を取られるんじゃねえかと思った。おらもそろうそくは床の上においてあった。みんなそこに揃っておらのほうを見つめていた。おらもそっちを見た。そのまま十五秒ばかりたった。でかい男が三人もおらのほうに鉄砲を向けているんで、おらはちぢみあがったよ。いちばん年上の人は白髪まじりで六十くらい、あとの二人は三十ちょっとくらい——みんなりっぱな男前だった——それから、すごく上品な白髪頭のおばあさんと、その後ろに、よく見えないけど若い女の人が二人いた。年とった紳士が言った。

「よし——それでよかろう。はいれ」
おらが中へはいるとすぐ、老紳士はドアに錠前とかんぬきと差し金をかけて、若い男たちに鉄砲を持ったまま来いと命じた。そしてみんなで、床の上に新しい布のじゅうたんを敷いた大きな居間にはいって、玄関の窓からは見えないひと隅に寄り集まった——横の壁には窓は一つもなかった。みんなはろうそくを手にとって、おらの顔をじろじろ見ると、口を揃えて、「いや、この子はシェパードソン家の者じゃない——まったく、シェパードソンらしいところが全然ない」と言った。それから老人はおらに、武器を持っているかどうか、からだをさぐるのを許してくれ、べつに危害を加えはせぬ、ただ念のためだ、と言った。それで、ポケットまでは調べないで、手でからだの外側だけをさわってみて、よしと言った。そして、気楽にくつろいでくわしく身の上話をするように言った。ところが、老婦人が口を出して、

「おやまあ、ソール、かわいそうに、この子はずぶぬれですよ。それにおなかもすいているんじゃないかね」

「おまえの言う通りだ、レイチェル。気がつかなかった」

そこで老婦人が言った。

「ベッツィー(これは黒んぼの女の名だ)、そこらをさがして、何か食べる物を作っておやり。できるだけ早くだよ。かわいそうに。それから、あんたたち、だれかいってバックを起こして――おや、ご本人が来たよ。ここにいるよその坊やを連れていって、濡れた着物をぬがして、何かおまえの服でかわいているのを着せておやり」

バックは、おらと同じ年かっこうで、十三か十四くらい、ただからだはおらより少し大きかった。シャツ一枚しか着てねえで、髪はくしゃくしゃだった。あくびしたり、片っ方のげんこつで目をほじくったりしながらやってきた。もう一方の手には鉄砲を引きずっていた。そして、「シェパードソンのやつらはいないの?」と言った。

みんなは、いまの警報はまちがいで、シェパードソンなんかいないと言った。

「なんだ、いたらやっつけてやったのに」

みんなは笑った。そしてボブは、

「おい、バック、おまえみたいにぐずぐずしていたら、みんな頭の皮を剝がれちまったかもしれないぞ」

「だって、だれも呼びに来ないんだもの、ひどいよ。ぼくはいつもおいてきぼりで、これじゃ出る場がないや」

「心配するんじゃないよ、バック」老人が言った。「出る場は充分ある、時節が来ればな。何も気をもむことはない。さあ行きなさい。お母さんの言う通りにするんだ」

二階のバックの部屋へ上がると、バックは自分のごわごわのシャツと短いジャケツとズボンを出してくれたんで、おらはそれを着た。その間にバックはおらの名前をきいたが、まだそれに返事をしないうちに、バックのほうで、おととい森でつかまえたアオカケスと子供のウサギの話を始めた。それから、ろうそくが消えたときモーゼはどこにいたかときいた。おらは知らないと答えた。そんな話は今まで全然聞いたことがないもの。

「でも、当ててみろよ」とバック。

「だって今まで聞いたことねえんだもん、当てられっこないよ」

「だって当てるくらいできるだろう？　じつに簡単だよ」

「ろうそくって、どんなやつだ？」とおら。

「どんなやつだっていいんだ」とバック。

「どこにいたか知らねえな。どこにいたんだ？」

「暗闇の中にいたんだよ！　それが答えさ」

「なんだ、答えを知ってるのに、なぜきいたんだ？」

「だってこれは謎じゃないか。おい、おまえ、いつまでここにいるんだ？　いつまでもいろよ。とっても面白いぜ――今は学校もないしな。おまえ、犬を飼ってるか？　ぼくは一匹飼ってる――木切れを川へほうりこむと、飛びこんでくわえてくるんだ。日曜日に櫛で髪をとかしたり、ああいうくだらないこと好きかい？　ぼく大きらいだけど、でも母さんがやらせるんだ。このズボンなんかも、はいたほうがいいんだろうけど、はきたくないな、暑いもん。ちゃんと着たか？　よし――さあいこうぜ」

冷たいトウモロコシパン、冷たいコーンビーフ、バターとバターミルク――これが下でおらに出された食い物だったけど、こんなうめえ物にありついたのは初めてと思うくらいうまかった。バックもおふくろも、そのほかみんな、トウモロコシパイプをふかしていたが、黒んぼの女はそこにいなかったし、二人の若い女の人は吸っていなかった。みんなパイプをふかしながらしゃべっていたんで、おらも食べながらしゃべった。若い女たちは、刺し子のガウンをからだにかけて、髪の毛は背中に垂らしていた。みんなでいろんなことをきくから、おらは話した。とうちゃんもおらも家族みんなでアーカンソー州の南はじの小さな農場に住んでいたけど、姉のメアリー・アンが駆けおちしてだれかと結婚して、それっきりたよりがない。ビルもそれをさがしにいったきり音さたなし。トムとモートも死んだんで、とうちゃんとおらのほかはだれもいなくなった。とうちゃんは、心配ごとのために骨と皮ばかしになっちまった。そこで、とうちゃんが死ぬと、農場はおらたちの持ち物じゃなかったんで、おらは残った物をまとめて、汽船の三等に乗って川を上ってきたところが、甲板から落っこって、それでこうしてここへ来た。そんな話をした。するとみんなは、ここをわが家だと思って、いたいだけいていいと言った。そのうちに夜明けが近くなったんで、みんな寝ることになって、おらはバックと寝た。翌朝目がさめてみると、しまった、おらは自分の名前が何だったか忘れちまってた。そこでおらは一時間ばかし横になったまま思い出そうとしたが、バックが目をさましたんで、こうきいた。

「バック、おまえ字が書けるかい?」

「うん」

「おれの名前は書けないだろう?」

「書けないことがあるもんか」

「よし、言ってみろ」

「G-o-r-g-e、J-a-x-o-n――そら、できた」

「なるほど、できたな。できるとは思わなかったよ。勉強しないでかんたんに書けるようなチャチな名前じゃないからな」

おらは、それをこっそり書きとめておいた。今度だれかが名前を言ってみろって言ったとき、それで練習しておいて、昔から馴れてたみてえにスラスラ言ってやろうと思ったからだ。

この一家はすごくいい人たちで、家の造りもすごくりっぱだった。こんなにりっぱで品のある家に、いなかでお目にかかるのははじめてだった。玄関のドアには、鉄の掛け金もついていなければ、シカ皮のひもつきの木の掛け金もなくて、町の家と同じように真ちゅうの把手(とって)をまわしてあけるようになっていた。町の家には、寝台をおいてる客間がうんとあるのに、この家の客間には寝台らしいものはまるで見えなかった。下に煉瓦を敷きつめた大きな暖炉があったが、その煉瓦は、水をかけて、ほかの煉瓦でこすって、いつもピカピカで赤く光っていた。そのほか、町でやるみたいに、スペイン褐色っていう赤い水塗料(ペンキ)を煉瓦の上に塗ることもあった。真ちゅうの薪(まき)台は、丸太でも乗せられるくらい大きかった。炉だなのまん中には時計がおいてあって、前にはめたガラスの下半分には町の絵が描いてあった。そのまん中は太陽の形に丸くあいていて、そこをのぞくと振り子の動いているのが見えた。この時計がチクタクいう音を聞くのは気持がよかった。時どきおなじみの時計屋がやってきて、掃除して調整すると、時計は、百五十回鳴ってもピクともしないくらいになった。いくら金を積まれたって、この時計は手放さなかっただろうよ。

さて、この時計の両側には、白亜(チョーク)みたいな物で作ってゴテゴテに色を塗った、大きなへんてこなオウムが立っていた。片方のオウムのそばには陶器で作った猫がいて、もう一つのオウムのそばには陶器の犬がいた。この猫と犬を上から押すとキューと音がするんだけど、口をあけるわけでもなく、顔つきを変えたり面白そうにしたりするわけでもなかった。キューという音は下のほうから出てくるんだ。こいつらの後ろでは、野生のシチメンチョウの翼の形をした扇子が二つ、羽根を広げていた。部屋のまん中のテーブルには、きれいな陶器の籠みてえなものが置いてあって、その中に、本物よりずっと濃い赤や黄色のきれいなリンゴやオレンジやモモやブドウが積み上げてあったけど、それは本物じゃなかった。欠けた所からチョークだかなんだか材料が見えているんで、それが分かった。

このテーブルには、きれいな油布で作ったカバーがかかっていたが、赤と青の羽根を広げたワシ(アメリカ合衆国の紋章)が描いてあって、縁(へり)にも全部色が塗ってあった。わざわざフィラデルフィアから取りよせたんだとさ。テーブルの隅ずみには何冊か本が、きちんと揃えて積み上げてあった。一つは、さし絵のいっぱいはいった、大きな家庭用の聖書だった。もう一つは『天路歴程』(イギリスの宗教文学者ジョン・バンヤン(一六二八―八八)の書いた寓意小説(一六七八))で、なぜだか訳(わけ)は書いてないけど家族をすてて出ていった男の話だ。この本はときどき、ずいぶん読んだ。書いてあることは面白かったけど、むつかしかった。もう一冊は『友情の贈り物』(贈り物用の詩文集)で、きれいな文句や詩がいっぱいはいっていたが、おらは詩は読まなかった。またもう一冊はヘンリー・クレー(アメリカの政治家、一七七七―一八五二)の演説集、あと一冊はガン博士の『家庭医学』で、病人や死人が出たときにはどうすればいいかってことがくわしく書いてあった。賛美歌の本もあったし、そのほかいろんな本があった。いすは籐を張った上等なやつで、すごくしっかりしていて、古い籠みたいにまん中が凹んだり破けたりしてなかった。

壁には絵がかかっていた――たいていは、ワシントンやラファイエット(独立戦争でアメリカを助けたフランスの将軍・政治家一七五七―一八三四)とか、戦争の絵とか、ハイランド・メアリー(スコットランドの詩人ロバート・バーンズの詩に題材をとった絵か？)とかで、『独立宣言の署名』というのもあった。それから、クレヨン画っていうのが何枚かあって、これは亡くなった娘の一人が、たった十五の年に自分を描いた絵なんだ。おらがそれまでに見たどの絵とも違っていて、たいていは普通より黒っぽかった。一枚は、ほっそりした黒い服を着た女の絵だ。わきの下のとこでベルトをきゅっとしめて、袖のまん中がキャベツみたいにふくらんで、大きな黒いスコップ形のボンネットに黒いベールをかけていた。白いほっそりした足首には黒いリボンを十文字にかけて、大工ののみみてえなちっちゃな黒い上靴をはいたその女は、物思いに沈んだ恰好で、しだれ柳の下の墓石に右ひじをおいてよりかかってるんだ。からだの横のもう一方の手には、ハンカチと手提げ袋を持っていて、絵の下には『悲しや二度と見ぬそなた』と書いてあった。もう一枚の絵のお嬢さんは、髪の毛を全部頭の上へ梳き上げて、そいつをいすの背中みてえな櫛の前で結んでいた。そうしてハンカチに顔をあてて泣いていたが、片方の手には死んだ鳥が仰向けに横になって、足を上に突き出していた。絵の下には『悲しや二度と聞けぬそなたのやさしきさえずり』と書いてあった。もう一枚には、窓の所で月を見上げて、ほっぺたには涙をいっぱい流してる若い娘の絵が描いてあった。片方の手には、はじっこに黒い封蠟をくっつけた手紙を広げて持っていて、鎖のついたロケットを口にぎゅっと当てていた。絵の下には『そなたは逝きしか、悲しやそなたは逝けり』と書いてあった。どれもみんないい絵だと思うけど、なんだか好きになれなかった。だって、ちょっと気がめいった時なんかに見ると、いつもきまってイライラしてくるからだ。みんなは、この子は、こういう絵をもっとたくさん描くつもりでいたのに、死んでしまって残念だ、いままでに描いた絵を見れば、たいへんな損失だということが分かる、なんて言っていた。でもおらは、そういう性質の子なら、墓場の中にいるほうが楽しいんじゃねえかと思った。この子は、いちばん大作だと言われてる絵を描いてるときに病気になったんで、どうぞこれを仕上げるまで生かして下さいって、毎日毎晩お祈りをしたんだけど、とうとうその願いはかなえられなかった。それは、長い白いガウンを着た若い女が、橋の欄干(らんかん)の上に立って、今にも跳び込みそうにしてる絵で、髪をだらっと背中に垂らし、顔じゅう涙をいっぱい流して、月を見上げてるんだ。二本の腕を胸の前で組んでるほかに、もう二本を前のほうに突き出し、また二本を月のほうへ差し上げてる——というのは、そのうちどれがいちばんよく見えるかを決めたあとで、残りの腕は削って消すつもりだったんだ。だけど、今も言ったように、決心がつかないうちに死んじまったんで、今ではこの絵は、その子の部屋の寝台の頭の上にかけてあって、その子の誕生日が来るたびに、この絵に花を飾ってやるんだ。それ以外の時は、小さなカーテンを掛けてかくしてある。この絵の若い女は、ちょっとかわいらしくていい顔をしてるんだけど、あんまり腕がたくさんあるんで、おらにはなんだか蜘蛛(くも)みてえに見えた。

この娘が生きていたころ、切り抜き帳を持っていて、「長老教会新聞(プレスビテリアン・オブザーバー)」から、死亡広告や事故や、病気で困ってる人の記事なんかを切り抜いて貼(は)っては、その後に自分の頭で考え出した詩を書いていたんだ。なかなかうまい詩だった。次にあげるのは、スティーヴン・ダウリング・ボッツという名の男の子が井戸に落ちて溺れ死んだときにその娘が書いた詩だ。

今は亡きスティーヴン・ダウリング・ボッツにささげる歌

幼きスティーヴン病めるや？
　幼きスティーヴン死せるや？
悲しむ人の数いや増して
　弔（とむら）う人の嘆きしや？

いな。幼きスティーヴン・ダウリング・ボッツの
　運命（さだめ）の道はさにあらず
悲しむ人の数はいや増せど
　そは病を嘆く故（ゆえ）ならず

そが身を苦しめしは百日咳ならず
　うとましきはしかの斑点（しみ）にてもあらず
スティーヴン・ダウリング・ボッツの清き名を
　傷つけしはそれらの病にあらず

巻き毛かわゆき頭（こうべ）を襲いしは

恋にやぶれし悩みにあらず
幼きスティーヴン・ダウリング・ボッツを
倒せしは胃の病にもあらず

いな。そがさだめを今ぞ語らん
目に涙して聞きたまえ
そが魂は井戸に落ちて
冷たきこの世を去りしなり

救い出だして吐かせども
ああ、時すでに遅かりし
霊魂はやも天翔けり
よき人の国に遊びたり

もしエミリン・グレンジャーフォードが十四にもならねえうちにそんな詩が書けたんなら、やがてどんな詩を書けるようになったか分かったもんじゃねえ。バックの話だとエミリンは、いくらでも詩をすらすら書いてみせたそうだ。考えてから書くなんてことは必要なかった。パッパッと一行書いて、それと韻の合う言葉が見つからねえ時は、すぐそれを消して、また別の一行をパッパッと書いて、先へ進んでいくんだそうだ。詩の題にはやかましいことは言わねえ。書いてくれって頼まれたことなら、ただ悲しいことでありさえすれば何でも詩にできるんだ。男の人でも女の人でも子供でも、だれかが死ぬたんびにエミリンは、死人が冷たくならねえうちに「お供え」を持ってかけつけるんだ。お供えってのは、その詩のことさ。近所の人の話では、一番が医者で、二番がエミリン、三番が葬儀屋だそうだ——葬儀屋がエミリンより先に来たのはたった一回で、それは、死んだ人の名がウィスラーといって、それと韻の合う言葉を見つけるのに手間どったんだとさ。それから後のエミリンは、別人のようになっちまった。苦しみを口には出さねえが、やつれたみてえになって、長いこと生きられなかったんだ。かわいそうに、おらは、エミリンの絵を見てるうちにムカムカしてきて、あの子がちょっぴりきらいになった時には、重い足をひきずってエミリンが住んでた小さい部屋へ行って、古ぼけた切り抜き帳を引っぱり出して中の詩を読んだことが、何回あったかわからねえくらいだ。おらは、あの一家の人たちが、死んだ人も全部入れて、みんな好きだったから、その親しい仲に水をさされるようなことになってほしくねえ。エミリンは生きてるあいだ、死んだ人みんなに詩を書いてやったのに、エミリンが死んだあと、だれもエミリンのことを詩に書くやつがいねえのはおかしい。そう思っておらは、一行でも二行でもひねり出そうとうなってみたけど、どうしてもうまくいかなかった。エミリンの部屋はきれいに片づけられて、置いてある物もみんなエミリンが生きていた時の好みの通りに並べてあった。

その部屋ではだれも寝なかった。黒んぼが大勢いるのに、部屋の片づけは老婦人が自分でやって、そこでよく縫いものをしていたり、たいていはそこで聖書を読んでいた。

さて、客間のことは前に話したけど、窓にはきれいなカーテンがかかっていた。白地の上に、城壁いっぱいにツタがからまってるお城だの、牛が水を飲みにきてるところだの、いろんな絵が描いてあるんだ。小さな古ぼけたピアノもあって、中にブリキなべがはいってるんじゃねえかと思うけど、お嬢さんたちが『縁(えにし)の糸は絶えて』を歌ったり、『プラーグの戦い』を弾いたりするのを聞いてると、じつにいい気持だった。部屋の壁は全部しっくいが塗ってあって、たいていの部屋には床にじゅうたんが敷いてあった。家の外側も全部しっくいで白く塗ってあった。

二軒の家をつないだ造りで、あいだの広い空地には屋根がついて床が張ってあった。昼ごろはそこにテーブルが置いてあることがあって、涼しくていい気持の場所だった。こんないい所はどこにもねえ。それに料理がうまくって、そいつがまた山盛りに出るんだ！

# 第十八章

グレンジャーフォード大佐は紳士だったな。頭の先から足の先まで紳士だった。一家の者もみんな同じだった。大佐はいわゆるいい血筋の生まれで、これは馬の場合でも人間の場合でも大切なことだって後家のおばさんが言ってたけど、おばさんだって、おらたちの町で一番いい家柄の出だ。とうちゃんも、いつもそう言ってたが、そのとうちゃんの血筋ときたらドロナマズ程度だ。グレンジャーフォード大佐はとても背が高くすらっとしていた。顔色はくすんで青白く、まるで血の気がなかった。毎朝、やせた顔をきれいに剃り上げていた。唇も鼻の穴もすごく細くて、高い鼻と、濃い眉毛と、すごく黒い目をしていた。その目はずっと深く引っこんでるんで、まるでほら穴の奥からのぞいてるみたいに見えた。額が高くて、髪の毛は黒くてまっすぐで、肩まで垂れていた。手は長くやせていた。大佐は年がら年中きれいなワイシャツを着ていて、上から下まで一分のすきもない背広の服は、見てると目が痛くなるくらい真白な麻で仕立ててあった。日曜日には、真ちゅうのボタンがついたブルーの燕尾服を着た。頭が銀でできたマホガニーのステッキを持って歩くんだ。どこを見ても安っぽいとこはちっともねえし、けばけばしいとこも少しもなかった。すごく親切で――それが自然に伝わってくるだろう、だから信用する気になるんだ。

ときどきニッコリ笑うと感じがいいんだけど、旗竿みてえにからだをピンと伸ばして、眉毛の下から、いなびかりがピカピカ光りだすとたいへんだ。こっちはまず木の上へよじ登って、それから後で情勢を偵察しようって気持になるよ。大佐が人に向かって、行儀よくしろなんて言う必要は全然ねえんで――だれでも大佐のそばにいればかならず行儀がよくなった。それでいて、だれでも大佐がそばにいるのを喜んだ。大佐はいつでもお日様みてえなものだった――つまり、大佐がそばにいると天気がいいみてえな気がするんだ。このお日様が雲の峰にかくれると、三十秒ばかしは真暗になっちまって、もうそれで充分だ。あと一週間ばかりはだれもまちがいをしでかさなかった。

朝になって大佐と老婦人が二階から下りてくると、家族の者はみんないすから立ち上がって朝のあいさつをして、二人がすわるまでは腰をおろさなかった。それからトムとボブが、酒びんをしまってある食器棚のところへ行って、苦味酒（ビターズ）を作って大佐に渡すんだ。大佐はそれを手に持って、トムとボブの分ができるまで待っている。それから二人はおじぎをして、「父上、母上、ごきげんよろしゅう」と言う。すると老夫婦はほんのちょっぴり頭を下げて、ありがとうと言う。三人とも酒を飲む。次にボブとトムが、自分たちの杯の底にちょっと残ったウイスキーだかアップルブランデーだかの上に、砂糖にスプーン一杯の水をかけたのを入れて、おらとバックにくれるんで、おらたちも老夫婦のために乾杯した。

ボブがいちばん年上で、トムがその次だった。二人とも背の高い美男子で、肩幅は広くて、顔は日に焼けて茶色で、長くて黒い髪の毛と黒い目をしていた。老紳士と同じように、上から下まで白い麻ずくめで、縁の広いパナマ帽をかぶっていた。

さてその次はミス・シャーロットだ。年は二十五で、背も高ければ気位も高くていばっていたけど、気が立ってねえときはすごく優しかった。でも、ごきげんの悪いときは、おやじさんと同じで、こっちはその場ですくんでしまうくらいこわい顔になった。でも美人だった。

その点は妹のミス・ソフィアも同じだけど、種類のちがう美人だった。まるでハトみてえにおとなしくて気立てのいい人だ。年はやっと二十だった。

一人一人に専属の黒んぼがついて世話をしていた。バックもだ。おらの黒んぼはすごくらくだった。だっておらは、今まであんまり人に何かしてもらったことなんかねえもの。でもバックの黒んぼは、しょっちゅうバタバタしていた。

今では一族の者はこれだけになっていた。前はもっといた——三人の息子だ。みんな殺された。それから、死んだエミリンだ。

老紳士は農場をたくさん持っていて、黒んぼも百人以上使っていた。ときどき大勢の人が、十五キロか二十キロ離れた所から馬に乗ってやってきて、五日も六日も滞在して、昼間は家の近くや川へ遊びに行ったり、森の中でダンスやピクニックをしたり、夜は家で舞踏会を開いたりした。こういう人たちは、たいてい一家の親類だった。男は銃を持ってきていた。みんなすごくいい家柄の連中ばっかりなんだ。

このあたりには、もう一つ名門の家柄があって、一門の家族が五つか六つあったけど、たいていはシェパードソンていう名前だった。この一族もグレンジャーフォード一族と同じように高級で、血筋がよくて、金持ちでいばっていた。シェパードソン家もグレンジャーフォード家も、おらのいた家から三キロばかし川上の、同じ汽船乗り場を使っていた。だから、ときどきおらが、こっちの家の人たち大勢と船着き場へ行くと、シェパードソン家の連中も大勢、りっぱな馬に乗ってそこへ来ていた。

ある日、バックとおらが森の奥へはいって狩りをしていたとき、馬の近づいてくる音が聞こえた。おらたちは道を横切るところだった。バックが言った。

「早く！　森の中へ跳びこむんだ！」

おらたちは跳びこんで、木の葉の間から森の向こうをすかして見た。やがて森の中の道を、ひとりのりっぱな若者が馬を走らせてやってきた。馬を自由に乗りこなして、軍人みたいだった。鞍頭に銃を横たえていた。見おぼえのある顔だ。ハーニー・シェパードソンという若者だった。ハーニー耳のそばでバックの銃が火を吹いたと思うと、ハーニーの帽子が頭からころげ落ちた。ハーニーは銃をつかむと、おらたちのかくれている所へまっすぐ進んできた。おらたちもぐずぐずしてねえで、森の中を一目散に駆けだした。森は木があまり多くなかったんで、おらは、弾丸をよけようと思って肩越しに様子を見ると、ハーニーがバックを銃でねらっているのが二度見えた。それからハーニーは、もと来たほうへ戻っていった——たぶん帽子を取りに行ったんだと思うけど、

ハーニー・シェパードソン

よく見えなかった。おらたちは家に着くまで走りつづけに走った。老紳士はちょっと目を輝かせた――うれしさが先に立ったんだな――それから少し落ち着いた表情になって、おだやかな口調で言った。

「やぶにかくれて撃つというのは感心せんぞ。なぜ道へ出ていかなかったのかね？」

「シェパードソンのやつらが出て来ないんですよ、お父さん。やつらはいつも裏をかくんです」

バックが話をしているあいだ、ミス・シャーロットは、女王みたいに首をしゃんと伸ばして、鼻をふくらまして、目をキラキラ光らしていた。若い男の二人は、雲行きの悪い顔つきだったけど、何も言わなかった。ミス・ソフィアは真青になったが、相手の男に怪我がないことが分かると、顔に赤味がさした。

おらはバックを連れ出して、木陰にあるトウモロコシ倉のそばで二人きりになるのを待ちかねてきいた。

「バック、おめえはやつを殺そうと思ったのか？」

「そりゃそうさ」

「やつはおめえに何をしたんだ？」

「やつが？　べつに何もしやしないよ」

「それじゃ、どういうわけでやつを殺そうと思うんだ？」

「わけなんかありゃしない――怨恨ていうだけのことさ」

「えんこんって何だい？」

「おまえ、どこの生まれだ？　怨恨を知らないのか？」

「聞いたことねえな。教えてくれよ」

「いいか、怨恨とはこういうもんだ。一人の男がもう一人の男とけんかをして相手を殺す。すると相手の男の兄弟が最初の男を殺す。こんどは、両方からそのほかの兄弟たちが出てお互いにやっつけ合う。その次にはいとこたちも飛びこんでくる——やがてみんな殺されちまって、そうすればもう怨恨はなくなる。でも、のろのろしていて、うんと時間がかかるんだ」

「こんどのも長く続いてるのかい？」

「そうだろうな。三十年かそこら以前に始まったんだ。何かもめごとがあって、けりをつけるために裁判沙汰になった。その裁判がどっちか一人に不利に終わったんで、その一人が、裁判に勝った相手の男を撃ち殺しちまった——もちろん、それがあたりまえのやり方で、だれだってそうするだろうけどな」

「そのもめごとって何だい、バック？　土地のことか？」

「そんなことだろう——知らない」

「それで、撃ったのはどっちだ——グレンジャーフォードか、シェパードソンか？」

「そんなこと知るもんか、大昔の話だもん」

「だれか知ってる人はいねえのかい？」

「そりゃ、父さんは知ってるだろうし、そのほかにも年とった人で知ってる人は何人かいるだろう。でも、そもそも何で争いになったかは、今じゃだれにも分からないんだ」

「殺された人は大勢いるのかい？」

「うん――葬式の数も勘定できないくらいだ。でも、いつも殺すときまってるわけじゃない。父さんもからだに散弾を何発か受けてるけれど、もともと目方の重いほうじゃないから気にしてないよ。ボブはボーイー刀(狩猟に使う大形のナイフ)でちょっと切られるし、トムも一、二回怪我をしてる」

「今年になってだれか殺されたかい？」

「うん、こちらで一人、むこうも一人やられた。三か月ばかり前に、おれのいとこで年は十四になるバッドっていうのが、川向こうの森の中を馬で通っていた。まぬけな話だけど武器を持ってなかったんだ。さびしい場所まで来ると、後ろから馬の近づく音が聞こえたんで、見るとボールディ・シェパードソンじじいが、手に銃を持って、白髪を風になびかせながら追ってくる。跳び下りてやぶの中にかくれればいいのに、バッドのやつ、じじいなんかに負けないと思ったんだな。そこで二人は、追いつ追われつ八キロばかり競争したんだけど、じじいのほうがじりじりと迫ってきた。そこで、とうとうバッドはもうだめだと思って、馬を止めて、正面からからだに風穴をあけられてもいいと思って振り返った。じじいは走りよってバッドを撃ち倒した。でも、じいさんも勝運を喜んでる暇があまりなかった。一週間もたたないうちに、こちらの者がじいさんをやっつけちまった」

「そのじいさんは臆病者だったんだな」

「臆病者じゃなかったと思う。ぜったい、そんなことはないよ。シェパードソン家に臆病者なんかいやしない——ひとりも。グレンジャーフォード家にだって、臆病者なんか一人もいない。だってあのじいさんは、ある日の戦いでグレンジャーフォード家の者を三人も相手にして、三十分持ちこたえて、とうとう最後は勝ったんだから。四人とも馬に乗っていたけれど、じいさんは馬から跳び下りて薪(まき)の山の後ろにかくれると、馬を前にまわして弾丸よけにした。グレンジャーフォード家の者は馬に乗ったまま、じいさんのまわりをぐるぐるまわってパンパン撃つと、じいさんのほうでもパンパン撃ち返した。じいさんも馬も、穴だらけになってびっこをひきながら家へ帰ったが、グレンジャーフォードの連中は、かついで帰らなきゃならなかったんだ——なかの一人は死んでいて、翌日にはもう一人が死んだ。ほんとだよ、臆病者さがしをするんだったら、シェパードソン家をさがしたって時間のむだだな。そんな人間はあそこの家じゃ育ててないもの」

その次の日曜日、おらたちは、五キロばかり離れた教会へ、みんな馬に乗ってでかけた。男たちは銃を持っていった。バックも持った。銃はひざの間にはさんでおくか、手近の壁に立てかけておくかした。シェパードソン家でも同じようにした。じつにくだらねえ説教で、兄弟愛とかなんとかいう退屈な話ばっかりだったけど、みんなは、いい説教だと言って、帰る途中もその話でもちきりだった。信仰だの、良い行ないだの、惜しみなき恩寵だの、全盛(前世)の約束だのって、わけのわからねえことばっかりしゃべってるんで、おらは、こんなひでえ日曜日にぶつかったのは生まれて初めてだと思ったくれえだ。

めしを食って一時間ばかりすると、みんな、いすにすわったり、自分の部屋にもぐりこんだりして昼寝を始めたんで、すっかり退屈になってきた。バックは犬と、日なたの草の上で大の字になってぐっすり眠っていた。おらも部屋へ行ってひと寝入りしようかと思った。おらたちの部屋の隣はミス・ソフィアの部屋になってたが、その戸口にあのやさしいお嬢さんが立っていた。そしておらを自分の部屋へ連れてはいると、ドアをそうっとしめて、あんたあたしが好き？ってきくんで、おらは好きだって答えた。するとお嬢さんは、おらに頼みたいことがあるんだけど、だれにも言わないでしてくれるかって言うから、おらはするって言った。するとお嬢さんは、うっかりして聖書を教会の座席に、ほかの二冊の本の間にはさんだまま忘れてきちまったんで、おらに、そっと脱け出して教会へ行って取ってきてほしいけど、このことはだれにも言わないでくれって頼むんだ。おらはやりますって言った。そこでおらはそっと脱け出して、道路をつっ走っていった。教会には人はだれもいなかった。ただしブタの一匹や二匹はいたかもしれねえ。なんしろドアに鍵なんかかってねえし、粗い板張りの床は夏は涼しいもんだから、ブタのお気に入りなんだ。知っての通り、たいていの人は、必要な時以外は教会に行かねえけど、ブタはべつだよな。

何かわけがある、とおらは思った——聖書の一冊ぐれえに娘がそんな大騒ぎするわけがねえ。

そこで本をゆすぶってみると、中から小さい紙きれが一枚落ちてきて、それには鉛筆で「二時半」て書いてあった。ひっかき捜してみたが、ほかには何も見つからなかった。おらには何のことだか分からなかったんで、その紙はまた本の中にしまった。家へ帰って二階へ上がってみると、ミス・ソフィアは戸口に立っておらを待っていた。お嬢さんはおらを引き入れると戸をしめた。それから聖書の中をさがしてるうちに紙きれが見つかって、その文句を読むとうれしそうな顔つきになった。そして、あっという間におらをつかめえてギュッと抱きしめると、おまえはとってもいい子だから、だれにも言わないでと頼むんだ。お嬢さんはしばらく顔を真赤にして、目をキラキラさせたが、そのためにすごく美人に見えた。おらはきもっ玉がつぶれたが、やっとひと息つくと、その紙に何が書いてあるのかたずねた。お嬢さんが読んだかってきいたんで、おらは読まねえって言った。また、字が読めるかってきくから、「いいえ、でっかく書きなぐった字しか読めません」て答えた。するとお嬢さんは、その紙は読みかけの目じるしにするただのしおりなの、もういいから遊びに行きなさい、と言った。

おらはこの問題をあれこれ考えながら川のほうへ歩いていったが、まもなくおらの黒んぼがあとをつけてくるのに気がついた。家が見えなくなる所まで来ると、やつはちょっと振り返ってあたりを見まわしてから、駆けよってきて言った。

「ジョージさま、沼の中へはいって来なされば、水マムシがウジャウジャかたまってるところをお教えしますだ」

おらは考えた。どうもおかしい、やつは昨日もそんなことを言っていた。だれも好んで水マムシをさがして歩く人間なんかいねえことは、よく分かってるくせに、いったい何をもくろんでいるんだろう？　そこでおらは、

「よし、急いでいけ」と言った。

八百メートルばかり後をついていくと、やつは沼の中をどんどん歩いて、足首まで水につかりながら、また八百メートルも進んでいった。やがて、ちょっとした平らな土地で、かわいていて、大きな木や小さな木や蔓草（つるくさ）がいっぱい生えてる所まで来ると、やつは言った。

「ジョージさま、そこへとびこんで、ほんの五、六歩いきなされば、れいのものがいますだ。あっしゃ前に見たで、もう二度と見たくねえでがす」

そう言ってやつは、バチャバチャと沼の向こうへ立ち去って、やがて森の中に姿を消してしまった。おらがその場所へはいって少し進むと、まわりに蔓草がいっぱい垂れ下がった、寝室くらいの小さな空き地にぶつかったが、そこに一人の男が横になって寝ていた――見たら、驚くじゃねえか、おらのジムだ！

おらはジムをゆり起こした。おらにめぐり会ってさぞかしびっくりするだろうと思ったら、そうじゃなかった。ジムは、うれしさのあまり泣きそうになったけど、驚きはしなかった。あの晩は、おらの後をついて泳いできて、おらが大声で呼ぶたんびに聞いていたけど、返事はできなかったそうだ。だって、だれかにつかまって、また奴隷に逆戻りするのはいやだからって言うんだ。

「あっしは少し怪我をしてたんで、早く泳げなくて、しめえにはおめえさんよりだいぶ遅れただ。おめえさんが陸に上がったとき、あっしゃ、陸の上なら大声でどならなくたって遅れずについていけると思ったけんど、あの家を見てからまた足がすくんできただ。あっしの所から遠くって、家の人がおめえさんに言ってることは聞こえなかった——犬がこゎかっただよ——でもまたすっかり静かになったで、おめえさんが家の中にはいったことが分かって、あっしゃ森の中へとびこんで夜が明けるのを待っただ。朝早く、畑仕事に出かける黒んぼが何人かやってきて、おらをこの場所へ連れてきて、ここなら水の中だから犬も後をつけて来ねえと教えてくれた。それから毎晩食い物をはこんできて、おめえさんの暮らしぶりを話してくれただ」

「なぜおらのジャックに、おらを連れてこいって、もっと早く頼まなかったんだ?」

「だってハック、なんとか目鼻がつくまでは、おめえさんの邪魔をしても仕方ねえだから——でも、もうでえじょうぶだ。折を見ちゃ鍋や釜や食い物を買い集めて、夜には筏を修理して——」

「筏って、どの?」

「おなじみの筏だよ」

「おらたちの筏はこなごなにぶっこわれたわけじゃねえって言うのか?」

「そうじゃねえだ。そりゃ、こわれた箇所はうんとある——一方の側はな——でも、そんなひどくやられたわけじゃねえ。ただあっしらの持ち物はあらかたなくなっちまった。あんなに深くもぐって長いこと水の中を泳いだりしねえで、天気もあんな暗い晩じゃねえで、あっしらがあんなにびくびくしねえで、つまり世間で言う『カボチャ頭』でなかったらば、筏は見つけられただ。でも、そんなことはかまわねえ。今じゃ、まるで新品同様にすっかり修理が仕上がって、持ち物も、なくした物の代わりに新しいのをうんと仕入れただから」

「ジム、いったいどうやって筏をまた手に入れたんだ――おめえがつかまえたのか？」

「森の奥にかくれてて、どうしてつかまえられるかね？　いや、この近くの川曲りで、沈み木にひっかかってるところを、だれか黒んぼが見つけて、小川の柳の間にかくしていただ。ところが、筏はだれの物だって、あんまりギャーギャー騒いでるもんで、すぐにその話があっしの耳にはいった。そこであっしが飛びだして、だれの物でもねえ、おめえさんとあっしの物だって言って話のけりをつけただ。おめえら、白人の若旦那の財産をかっぱらって、こっぴどくたたかれてえのかって、そう言ってやった。それから一人に十セントずつくれてやったらば、やつらはすっかりごきげんになっちまって、もっと筏が流れてきて、また金持ちになれねえかなんて言ってただ。この黒んぼどもは、あっしにえらく親切にしてくれた。なんでもしてもらいてえと思うことは、二度と頼まねえでもすぐにしてくれただよ。あのジャックはいい黒んぼだ。それに頭もいいやつだで」

「ほんとにそうだな。おめえがここにいるなんて一度も言わねえで、ただここへ来れば水マムシをうんと見せてやるって言うんだ。何か起こったたって、やつは何も関係ねえっていうわけさ。おらたちがいっしょにいるのを見たことはねえって言えばいいし、事実その通りだものな」

その次の日のことは、あんまりくわしく話したくねえから、うんと短く縮めるつもりだ。おらは夜明けごろ目をさまして、寝返りをうってまた眠ろうしたとき、あたりがいやに静かなのに気がついた――だれも人のいる気配がねえみたいだった。これはただごとじゃねえ。その次には、バックもいなくなっちまってるのに気がついた。そこでおらは、へんだなと思いながら起き上がって、階下へ行ってみると――だれもいねえ。静まり返ってコトとも音がしねえ。家の外も同じだ。どういうわけだろうと、おらは考えた。薪の山のそばでジャックに出くわしたんで、

「どうしたっていうんだ?」ときくと、

「ジョージさまは知らねえんですかい?」

「いいや、知らねえよ」

「じつは、ミス・ソフィアが逃げ出したですよ、うそじゃねえ。夜のうちにいつか逃げだしなすった――なん時だかだれも知らねえ――逃げだしたわけは、あのハーニー・シェパードソンの若僧と結婚するためだと――まあ、そう思われてますだよ。家の方たちが気がついたのは、三十分か、もうちょっと前くれえだが――早えのなんのって、少しの時間のむだもねえ。銃だの馬だの、あんなに早く揃えたのは見たことがねえだ! 女衆は親類縁者を呼び集めにとびだした。ソール旦那さまと若い衆は、銃を持って川沿いの道を走っていきなすった。あの若僧がミス・ソフィアを連れて川を渡らねえうちに、とっつかめえて殺そうためですだ。こりゃ、だいぶ荒れそうな様子だで」

「バックはおらを起こさねえでいっちまったよ」

「そりゃそうだべ。お家の方たちはおめえさまを巻きぞえにしたくなかっただよ。バックさまも銃に弾丸をこめていなすったが、シェパードソンの一人や二人は家へ引いて帰るつもりだべ。なんしろ向こうには大勢いるだから、うまくいきゃ一人ぐれえは引いてくるにちげえねえだ」

おらは、川沿いの道をできるだけの力でつっ走った。やがて遠くのほうで銃声が聞こえはじめた。汽船の船着き場にある、丸太作りの店と薪(まき)の山が見える所まで来ると、おらは、大きな木や小さな木の下をくぐって、いい場所が見つかるまで進んで、それから、ポプラの木の、弾丸の届かない二股のあいだへよじ登って、そこで様子をうかがった。その木の先を少し行った所に、一メートルあまりの高さに薪がつんであって、はじめおらはその後ろにかくれようと思っていたんだが、そうしないでよかったかもしれねえ。

丸太作りの店の前の広場では、馬に乗った四、五人の男が、悪態をついたりわめいたりしながらぐるぐるまわって、船着き場の横の薪の山のかげにかくれている二人の若者にねらいをつけていたが、なかなか当たらなかった。その中の一人が、薪の山より川のほうへ寄って出るたびに、ねらい撃ちされた。二人の若者は、薪の山の後ろで背中合わせにしゃがんで、左右両方を見張っていたんだ。

そのうちに男たちは、乗りまわしたりわめいたりするのをやめて、店のほうへ馬を走らせてきた。そのとき、若者の一人がつっと立ち上がって、薪の山越しにじっとねらいを定めたと思うと、一人の男が鞍からばったり落ちた。男たちはいっせいに馬から跳び下りて、やられた一人をかかえて店まではこんでいこうとした。とたんに二人の若者はパッと駆けだした。二人が、おらのかくれていた木まで半分くらい来たとき、男たちがそれに気づいた。男たちは二人の姿を見ると、馬に跳び乗って後を追った。いいとこまで近づいたけど、若者たちのスタートが早かったんで、だめだった。二人は、おらのいた木の前の薪の山にたどりついて、その後ろにもぐりこんだ。これでまた二人のほうが相手より有利になったわけだ。なかの一人はバックで、もう一人は年が十九くらいのほっそりした若い男だった。

男たちは、しばらく走りまわっていたが、やがて行っちまった。その姿が見えなくなるとすぐ、おらは大声でバックを呼んで、教えてやった。バックは、どうして木の中からおらの声が聞こえてくるのか、最初は分からねえで、ひどくびっくりしていた。バックはおらに、よく見張って、やつらの姿がまた見えたら知らしてくれと言った。やつらは何か悪だくみをしてるんで、まもなく戻ってくるって言うんだ。おらもその木から降りたかったけど、こわくて降りられなかった。バックは大声でののしりはじめて、いとこのジョー(というのがもう一人の若者の名前だが)といっしょに、この日の仕返しはいつかしてやる、と言った。バックの話だと、お父さんも二人の兄さんも殺され、敵のほうも二、三人やられたそうだ。シェパードソンの連中が待ち伏せしていて襲ったらしい。父さんも兄さんも親類が来るのを待っていればよかった——シェパードソンの勢力のほうが強すぎた、とバックは言った。若いハーニーとミス・ソフィアはどうなったかきいてみると、二人は無事に川を渡ったというので、おらは喜んだが、バックは、ハーニーを撃ったあの日に殺しそこなったと言って、地団太ふんでくやしがることといったら――あんなすごい声は聞いたことがねえくらいだ。

いきなりバンバンバンと銃声が三、四発聞こえた――男たちは馬をすてて、こっそり森の中を通りぬけて後ろからやってきたんだ。二人は川へ跳びこんだ――両方とも怪我をしていた――そして流れを泳ぎ下ったが、男たちも土手を走って後を追いながら、二人に弾丸を撃ちこんで、「やっちまえ！　やっちまえ！」とどなっていた。おらは気分が悪くて、木から落っこちそうになった。その日のできごとを全部話すなんて、とてもできねえ――そんなことをしたら、また気分が悪くなるだけだ。こんな目に会うと知ったら、あの晩、陸に上がるんじゃなかった。忘れようと思っても忘れられねえだろう――何回夢に見るか分からねえんだ。

おらは、恐ろしくて降りられねえで、暗くなるまで木の中にかくれていた。ときどき森の奥で銃声が聞こえた。銃を持った男が何人かずつかたまって、丸太の店の前を馬をとばして行くのを二度見かけた。それで、騒ぎはまだ続いてるんだなと思った。おらは、すっかり気が滅入っちまって、もう二度とあの家のそばへは近寄るめえと決心した。だって、騒ぎの責任はおらにあるような気がしたからだ。あの紙に書いてあったことは、ミス・ソフィアがハーニーと二時半にどこかで会って駆けおちする約束のことだとおらは思った。それなら、おやじさんにその紙のことや、お嬢さんのおかしなそぶりのことを話せばよかった。そうすれば、おやじさんがお嬢さんをとじこめて、こんなひどい騒ぎは起こらないですんだかもしれねえと思った。

おらは、やっと木から降りて、こっそり土手道を少し行くと、川っぷちに死体が二つころがってるのを見つけたんで、引っぱって岸へ上げた。それから、顔におおいを掛けてやって、できるだけ早く逃げていった。バックの顔におおいをするときは、少し泣いちまった。だってやつはおらにずいぶん親切にしてくれたもの。

もう暗くなりかけていた。おらは家のそばへは寄らねえで、森の中をつっ切って、まっすぐ沼へ向かった。れいの島にはジムの姿は見えなかったんで、おらは、あわてて小川のほうへ歩きだした。早く筏にとび乗って、このいやな土地から逃げ出そうと、夢中になって柳の中をかき分けていった――筏がねえ！　たいへんだ！　おらはきもをつぶして、一分間くらい息もつけなかった。それからおらはひと声呼ばわった。七メートルと離れてねえ所から声がした。

「ありがてえ！　おめえさんかい？　大きな声をするでねえよ」

ジムの声だった――人の声を聞いてこんなにありがたいと思ったことはねえ。おらは土手を少し走って筏に乗りこんだ。ジムはおらをつかまえてぎゅっと抱いた。おらに会えて、よっぽどうれしかっただな。

「よかっただなあ、ハック、おめえさんはてっきり死んだものと思ってただ。ジャックもここへ来て、おめえさんが帰ってこねえとこを見ると撃たれただべって言う。それであっしは、今すぐ筏を小川の口のほうへ出す支度をして、ジャックがもう一度戻ってきて、おめえさんがたしかに死んだと知らせるのを聞いたらすぐこぎ出すべえと思っていただよ。ほんとに、おめえさんがまた帰って<ruby>帰<rt>けえ</rt></ruby>きて、こんなうれしいことはねえ」

おらは言った。

「よし、うまくいった。もうおらも見つかりゃしねえ。みんな、おらが死んで、流れていったと思うだろうよ――そう思いちがいさせるようなものがあっちにあるんだ――だから、ぐずぐずしてねえで、一刻も早く本流の方へこぎ出すんだ」

おらは、筏がそこから三キロ下って、ミシシッピー川のまん中に出るまで、ちっとも気が落ち着かなかった。それからおらたちは合図のカンテラを下げて、これでやっと自由で安全な世界へ戻ったと思った。おらは昨日からひと口も物を食べてなかった。そこでジムは、トウモロコシパンにバターミルクや、ブタ肉にキャベツ、それに青物なんかを出してくれた――ちゃんと料理してあれば、世の中にこんなうまいものはねえ――おらは食べながら、二人でしゃべって、じつに楽しかった。おらは怨恨なんてものから逃げ出して、やれやれと胸をなでおろしたし、ジムも沼から逃げられてほっとしていた。なんて言ったって、筏ほどいい所はねえなと二人で話した。ほかのとこは窮屈で息がつまりそうだけど、筏ではそんなことはねえ。筏の上にいると、すごく自由で気楽でのんびりするんだ。

# 第十九章

それから二、三日が明け暮れた。と言うより、一日一日が泳いでいったみたいな感じで、音もなくスイスイと気持よく過ぎていった。その毎日をおらたちがどうやって暮らしたか話してみようか。ここらへんの川幅はべらぼうに広くて、二キロにもなることがあった。おらたちは、川を下るのは夜にして、昼間はかくれて休んでいた。もうそろそろ夜が明ける時分になるとすぐ、筏を止めて岸につないだ――たいがいは砂州のかげの、水がよどんでる所だ。そしてポプラや柳の若木の枝を切って筏をかくした。それから釣り糸を垂れた。その次には、汗を流してさっぱりしようと思って、川へ跳びこんでひと泳ぎした。それから、水の深さがひざくらいの所で、低い砂地に腰をおろして、夜が明けるのを見ていた。どこからも音ひとつ聞こえねえで、静まり返って、まるで世界じゅうが眠ってるみてえだった。聞こえるとすればたまにウシガエルがケロケロ鳴くくらいだ。川の向こうを見渡して最初に見えるのは、ぼんやりした線みたいなもので、それは向こう岸の森なんだけれど、そのほかは何も見分けがつかなかった。それから空に薄明るい所ができたと思ううちに、その薄明るい所がどんどん広がっていくと、遠くの川の色も明るくなって、黒というより灰色に近くなってきた。まだずっと遠くだけれど、小さい黒い点みたいな物が流れてるように見えるのは、品物をはこぶ平底船やなんかで、長くて黒い縞になってるのは筏だ。ときどきキーキーいう櫂の音や、ガヤガヤいう人の声が聞こえるのは、あたりがあんまり静かだから、物音がすぐそばみたいに聞こえるためだ。やがて川の上にべつの縞が見えてくるが、その縞の模様を見れば、そこに沈み木があって、急流がぶつかって砕けるとそんな縞模様に見えることがわかる。水のおもてにもやがうずを巻いて、東の空が赤らむと、川もその色に染まって、遠い向こう岸の土手の上に、森のはずれの丸太小屋が見えてくる。たぶん薪置き場だけど、いいかげんな積み方をしてるもんで、薪の山のどこからでも犬を投げこめるくらいすきまだらけだった。そのうちに気持のいいそよ風が起こって、向こうから吹きつけると、じつに涼しくてさわやかで、森や花のいい匂いが伝わってきた。でも、いつもそうとは限らねえで、ダツやなんか、死んだ魚を散らかしてあるのが、すごくくさい時もあった。やがて完全に夜が明けると、あたり一面晴れやかに日が差して、鳥の歌声も急ににぎやかになってくる。

もう、少しぐらいの煙は目立たなくなったので、おらたちは、釣り糸にかかった魚をとって、あったかい朝めしを作る。そのあと、さびしそうな川の様子をながめながらぶらぶらしているうちに、やがてごろっと横になって眠る。まもなく目がさめたので、どうしたんだろうと思って見ると、汽船がゴホンゴホンせきをしながら流れを上っていたりする。でも、ずっと向こうの岸に寄ってるから、外輪が船尾についてるか横についてるかが分かるくらいで、あとは全然分からねえ。それから一時間ばかりは、何にも聞こえず何にも見えねえで、ただしーんとさびしいばっかりだ。こんどは、ずっと遠くに筏が流れているのが見えて、たいがいいつでもきまって、だれか無器用(ぶきよう)なやつがまきを割っていたりするんだ。おのがキラッと光って、振り下ろされるのが見える――音はなんにも聞こえねえ。そのおのをまた振り上げるのが見えて、その男の頭の上まで来たころ、やっとカーンというのが聞こえる――音が水の上を渡るのにそれだけ時間がかかったんだ。そうやっておらたちは、ごろごろして、静かな空気に耳をすましながら一日を過ごす。いちど濃い霧がかかったことがあって、通り過ぎる筏やなんかは、汽船に引き倒されねえようにブリキなべをたたいていた。平底船や筏がすぐそばを通るとき、乗ってる人がしゃべったり、わめいたり、笑ったりするのが、手にとるようにはっきり聞こえたけれど、人の姿はちっとも見えなかった。まるで人だまが空中でそうやって騒いでるみたいで、ぞっとした。ジムは、たしかに人だまだと言ったが、おらは、

「いや、人だまが『いまいましい霧だ』なんて言いやしめえ」と言った。

夜になるとすぐ、おらたちはこぎだした。筏を川の中ほどまで出すと、あとはうっちゃらかして、流れのままに勝手に走らせておいた。そしておらたちは、パイプに火をつけて、足をだらんと水の中に入れたまま、いろんなことをしゃべった――おらたちは昼も夜も、蚊が刺さねえときはいつでも裸だった――バックの家の人がおらに作ってくれた新しい服は、上等すぎて着心地が悪かったし、それにおらは、どっちみち着物はあんまり好きじゃねえんだ。

時によるとおらたちは、すごく長いあいだ、川全体をおらたちでひとり占めにすることがあっ

た。川の横を見ると、向こうには土手や島があって、何かキラッと光ってることがある——小屋の窓のろうそくだ——川の上にもキラッと一つ二つ光ってる——筏か平底船の上で光ってるんだ、また、そういう船から、バイオリンや歌声が聞こえてくることもある。筏の暮らしは楽しいもんだ。空を見上げると一面に星がピカピカ光っていて、おらたちはよく仰向けに寝て星を見上げながら、星は作られたものだか、それともただ自然にできたものだか議論した——ジムは作られたものだと思うし、おらは自然にできたもんだと思った。あんなにたくさん作るなんて、時間がかかりすぎて無理だと思ったんだ。ジムは、月が星を生んだのかもしれねえと言った。どうやらそれもっともらしく思われたから、おらは何も反対しなかった。以前にカエルが星の数くらい卵を生むのを見たことがあるんで、月が生んだっておかしくねえと思った。おらたちは、流れ星がすーっと尾を引いて落ちるのもよく見た。ジムは、あれは星の卵の腐ったのを巣から投げすてたんだと言った。

ひと晩に一回か二回、汽船が暗い中をすーっと通り過ぎることがあった。その汽船がときどき煙突から空いちめんに火の粉を吐くと、それが川にバラバラと雨のように降って、すごくきれいに見えた。やがて汽船が角を曲がると、チラチラしていた明かりも消え、ポンポンという音もなくなって、川はもとの静けさに戻る。やがて、汽船が行ってだいぶたってから、その波がこちらまで届いて、筏を少しゆするけど、その後は、カエルかなんかの声のほかは、何時間だか数えられないくらい長いあいだ、何の物音も聞こえねえんだ。

真夜中を過ぎると陸の上の人たちも寝床にはいって、それから二、三時間は陸の上は真暗で――小屋の窓にもチラチラした明かりは見えなくなる。このチラチラがおらたちの時計がわりだ――最初のチラチラがまた見えたら、それは朝が近づいたしるしで、おらたちはすぐ筏をつないでかくす場所をさがした。

ある朝、夜明けごろ、おらは一隻のカヌーを見つけたんで、早瀬を横切って岸までこいでいった――二百メートルくらいの距離しかなかった――それから、イチゴが見つからないか捜しに、イトスギの林の中を流れてる小川を一キロ半ばかりこいで上った。ちょうどおらが、小川を渡る牛の道みたいなのがある所まで来たとき、その道を二人の男が、全速力ですっとばして走ってきた。おらはもうだめだと思った。だって、だれかがだれかを追っかけてるとすれば、それはかならずおらか、さもなければジムかもしれねえからだ。おらは急いでそこから逃げ出そうとしたが、二人はもうおらのすぐそばまで来ていて、大声でおらを呼んで、後生だから助けてくれと言った。自分たちは何もしてないのに追っかけられてるんだ――人や犬が追ってきてるんだと言った。二人はすぐにカヌーに跳びこもうとしたんで、おらは言った。

「だめだよ。まだ犬や馬の音が聞こえねえから、おじさんたちは、やぶの中をくぐりぬけて少し小川の上流へまわっても、まだ時間がある。それから水の中へはいって、歩いてここまで来て乗ってくれよ。そうすれば犬に匂いをかぎつけられないですむから」

二人がおらの言った通りにしてカヌーに乗りこむとすぐ、おらはもとの砂州に向かってこぎだした。五分か十分すると、遠くで犬や人が大声をあげているのが聞こえた。その声が小川のほうへ近づいてくるのは聞こえたが、姿は見えなかった。どこかで止まって、少しぐずぐずしてるみてえだった。それから、おらたちがそのままどんどん遠くへ離れるにつれて、その声もほとんど聞こえなくなった。森を一キロ半も後にして川の本流にぶつかったころには、あたりはすっかり静かになっていた。おらたちは砂州までこいでいって、ポプラの茂みにかくれてやっと胸をなでおろした。

この男たちの一人は七十くらいか、もっと年上かで、頭ははげていて、ほおひげにもだいぶ白いものが混じっていた。古いぶっつぶれたソフト帽をかぶって、テカテカの青い毛のシャツを着て、ぼろぼろのブルージーンズの古ズボンを長ぐつの上のほうにつっこんで、手編みのズボンつりをして——いや、それも片方しかなかった。すべすべした真ちゅうのボタンのついた、燕尾服みたいに長いブルージーンズの古上着を片腕にひっかけていて、それから二人とも、大きな、ふくれた、おんぼろの手さげカバンを持っていた。

もう一人の男は三十くらいで、相手に負けないくらい見すぼらしい身なりだった。朝めしのあと、おらたちはみんなひと休みしながらしゃべったが、最初にわかったことは、こいつらがお互いに知らない同志だということだった。

「なんでこんなことになったんだ」とはげ頭がもう一人のやつに言う。

「いや、わたしは歯石を取る薬を売っていたんだ——歯石はたしかに取れるんだが、たいがいそれといっしょにほうろう質も取れちまうという品さ——ところがひと晩ほど長居をしすぎたので、そろそろ姿をくらまそうとしていたときに、町のこちら側の小道であんたにぶつかったが、あんたは、追われているから逃げるのを手伝ってくれって言っただろう。そこでわたしも、ご同様のはめになりそうだから、いっしょに逃げだそうと言ったんだ。話というのはこれだけさ——そういうあんたは？」

「いや、わしはあそこで一週間ばかり、ちょっとした禁酒野外集会を開いておってな、ご婦人や娘たちからちやほやされておった。なにしろ、おまえさん、酔っぱらいどもをこっぴどくやっつけてやったからな。それで実入り（みいり）もひと晩で五、六ドルになって——一人あたま十セント、子供と黒んぼはただでな——商売は繁昌する一方じゃった。ところが昨晩どうしたわけか、わしがこっそり自分の酒びん相手にひまつぶしするくせがあると、そんなうわさが広まりおった。ある黒んぼが今朝わしをたたき起こして、犬や馬を連れた連中がひそかに集合していると教えてくれた。その連中はもうすぐやってくる。わしを三十分ばかり早く出発させておいてから、できればわしを追いつめて、つかまえたら全身にタールを塗って羽根をつき刺し、横木に乗せてほうり出すにきまっとるというのじゃ。わしは朝めしも食わずに飛び出した——腹もへっておらなんだよ」

「じいさん」と若いほうが言った。「二人でチームを組まないか、どうだい？」

「悪くないな。おまえさんの専門は何じゃ——主なところは？」

「印刷工が本職だが、売薬のほうもちっとはやるし、役者もできる——悲劇ってやつさ。折があれば催眠術と骨相学にも手を出すし、気分を変えて学校で唱歌地理も教えるし、時には講演もぶっ——そのほかいろいろさ——骨の折れることでなければ、手当たり次第なんでもござれだ。あんたの商売は？」

「わしは昔は医者のほうをかなりやったものじゃ。手を当てて直すのがわしの十八番でな、癌とか中風とかそんな病気にきく。それから占いの腕も相当なものじゃが、ただしネタ集めをしてくれる仲間が要るわ。説教も得意じゃし、野外集会も開けば、伝道もしてまわる」

しばらくはだれも口をきかなかったが、やがて若いほうがため息をついて、

「情けなや！」

「何が情けなやじゃ」と、はげ頭。

「生きながらえて、かかる暮らしを送り、かかる者どもの仲間に堕ちるとは」そう言って男は、ぼろきれで片方の目の隅をふきはじめた。

「何をぬかす、おまえに似合いの仲間じゃろうが」はげ頭はずけずけと遠慮なく言う。

「その通り、わたしには似合いの仲間です。わたしの行ないに似合っています。わたしを、あの高い位からこの低さへ引き下ろしたのはだれでしょうか？　それはほかならぬわたし自身なのです。みなさん、わたしはあなた方を責めはしません。とんでもない。わたしはだれも責めません。みんなわたしが悪いのです。冷たい世間よ、どんなむごい仕打ちでもするがよい。一つだけわたしに分かっていること——それは、どこかで墓がわたしを待っているということだ。世間は

その営み(いとな)を、いつもと変わらず続けるがよい。そして何もかもわたしから――愛する者も財産も、すべて取り去るがよい――ただその墓だけは奪うことができない。いつの日か、わたしはその墓に横たわってすべてを忘れ、傷つきしわが心も安らかに眠るであろう」

「何が傷つきしわが心じゃ」はげ頭は言った。「おまえの傷つきし心が、わしらにどうしたというのじゃ。わしらは何もしとらんぞ」

「それはよく分かっています。みなさん、わたしはあなた方を責めてはおりません。かくも成り下がったのは自分のせいです――そう、自業自得なのです。わたしが苦しむのは当然のこと――まったく当然のことで、なんの文句もありません」

「成り下がったとはどこからじゃ。いったいどこから成り下がったのじゃ」

「あなた方には信じられんでしょう。世間はまったく信じますまい――信じないでよろしい――かまいません。わたしの出生の秘密は――」

「おまえの出生の秘密じゃと？　いったいおまえは――」

「みなさん」若い男はひどく厳粛に言った。「わたしはその秘密をみなさんに明かします。それはわたしがみなさんを信頼しているからです。わたしは素姓(すじょう)正しき公爵なのです！」

それを聞いたとき、ジムの目玉は飛び出した。おらの目玉も飛び出しただろうよ。するとはげ頭は、「まさか！　そんなことはあるまい」と言った。

「そうなのです。わたしの曾祖父、すなわちブリッジウォーター公爵の長子は、自由の澄んだ

「素姓正しき公爵じゃ！」

空気を吸わんとして、前世紀の末ころこの国へ逃れて来ました。当地で結婚し、死んだ後に一人の息子を残しましたが、その父も同じころに死にました。ところが亡き公爵の次男が爵位と財産を奪い——幼児であった正統の公爵は黙殺されました。わたしはその幼児の直系の子孫で——つまり正統のブリッジウォーター公爵なのです。ところがこうしてわたしは、わびしくも、高い位を奪われ、追われる身となり、冷たい世間にさげすまれ、尾羽打ちからし、疲れはてた傷心の身となり、筏に暮らす下賤の仲間へと落ちぶれたのです」

ジムはこの男をすごくかわいそうだと思ったし、おらもそう思った。おらたちが慰めようとすると、男は、そんなことをしても役に立たない、たいした慰めにはならないと言った。それより、身分を認めてくれれば、それがほかの何よりもありがたいのだと言った。それでおらたちも、やり方を教えてくれれば言う通りにすると言った。やつが言うには、話しかける時にはおじぎをして、「閣下」とか「殿（との）」とか「殿さま」とか言うんだそうだけれど、その代わりにただ「ブリッジウォーター」と呼んでもいい、とにかくそれは称号で、名前じゃないんだと。それから、おらたちのどちらかが食事のときにやつの給仕をして、やつがやれと言ったら、どんなことでもやらなきゃいけないんだとさ。

まあ、そんなのはお安い御用だから、言う通りにしてやった。食事の間じゅうジムは、そばを離れずに給仕をして、「閣下、これを召し上がりますか、あれを召し上がりますか」なんて言うと、やつがすっかりごきげんなのがだれの目にも分かった。

ところがじいさんのほうは、そのうちにすっかり口が重くなって——ほとんどものを言わずに、公爵ばかりがいやにチヤホヤされているのを見ながら、あまり愉快そうな顔をしていなかった。そして、頭の中で何か考えているみたいだった。やがて、その日の午後になると、老人は言った。

「おい、ビルジウォーター（船底の汚水のこと。ブリッジウォーターを言いまちがえたもの）。そいつはべらぼうにお気の毒さまだが、しかしそういう苦労をしたのは、おまえさんだけじゃないぞ」

「わたしだけじゃない？」

「おまえさんだけじゃない。高い位から不当に引きずり下ろされたのは、おまえさんだけじゃないんだ」

「ああ！」

「出生の秘密を持っているのは、おまえさんだけじゃないんだ」そう言うと、おやおや、じいさんも泣きだした。

「待たれよ！　何と言われる？」

「ビルジウォーター、おまえさんを信頼してよいかな？」老人は、まだ少し泣きながら言った。

「金輪際（こんりんざい）洩らしはせぬ」公爵はじいさんの片方の手をとって、ぎゅっと握りしめながら言った。

「なんじの出生の秘密を語れ！」

「ビルジウォーター、わしは先のフランス皇太子じゃ！」

うそじゃねえ、ジムもおらも、こんどこそほんとに目の玉が飛び出た。すると公爵は言った。

「先のなんだと？」

「そうじゃよ、おまえさん、まぎれもない真実じゃ——今この瞬間おまえさんの目に映っているのは、ルイ十六世とマリー・アントワネットとの遺子にして、あわれ行方知れずとなりし皇太子ルイ十七世なのじゃ」

「あんたが！　その年で！　まさか！　故シャールマーニュ大帝のまちがいじゃないかい。あんたは、どう控え目に見ても、六、七百歳にちがいないからな」

「苦労のせいじゃよ、ビルジウォーター、苦労のせいじゃ。この白髪とこの若はげも苦労のせいなのじゃ。さよう、みなさん、今ここに見らるるは、見すぼらしきブルージーンズをまとうてはいるが、しいたげられ苦しめられたる正統のフランス王の、流浪漂泊の姿なのじゃ」

それからじいさんは、泣きだして大騒ぎをはじめたので、おらもジムも、かわいそうでならなかったけど、どうしていいかわからなかった。それでも、王様といっしょにいると思うと、うれしくって鼻が高かった。そこでおらたちは、前に公爵にやったようにやりはじめて、王様を慰めようとした。ところがじいさんは、そんなことをしたってだめだ、死んでけりをつけちまうほかは、何をしたってだめだと言うんだ。もっとも、みんなが自分を王様らしく扱って、口をきくときには片ひざをついたり、いつでも「陛下」と呼んだり、食事のときは最初に給仕をして、すわれと言うまでは目の前ではすわらなかったりしてくれる間は、しばらくは気分もらくになって落ち着くことが多かったと言うんだ。それでジムとおらは、じいさんを陛下扱いしはじめて、あれこれいろんなことをしてやって、すわっていいと言うまでは立っていたりした。これがすごく役に立って、じいさんはほがらかでいい気分になった。ところが公爵は、しぶい顔をじいさんのほうへ向けて、事の成りゆきに少しも満足してないようだった。それでも王様は、公爵に心から親愛な態度をとって、公爵の曾祖父(ひいじいさん)をはじめ、そのほかビルジウォーター公爵家の者はみんなわしの父にかわいがられておって、宮殿へもしばしば訪問を許されたものじゃと言った。しかし公爵がいつまでもプンプンしているので、やがて王様は言った。

「ビルジウォーター、どうやらわしらはこの筏に、かなり長い間いっしょに暮らさねばならぬらしいから、そのように仏頂面(ぶっちょうづら)をしていてもはじまるまい。お互いに不愉快になるばっかりじゃ。わしが公爵に生まれなんだのもわしのせいではなし、おまえさんが王に生まれなんだのもおまえのせいではない――くよくよしても仕方がないではないか？ 今の身の上がいちばんいいと思って暮らす――これがわしのモットーじゃ。ここへたどりついたのも悪いこととは言えぬ――食べ物には事欠かぬらくな暮らしじゃ――さあ、手を出したまえ、公爵よ、みんな仲よくしようではないか」

公爵がその通りにしたので、それを見てジムとおらはとてもうれしかった。それでいやな感じがすっかりなくなって、おらたちはすっかりいい気分になった。なにしろ筏の上で仲たがいしたら、みじめなことになっただろうからな。筏の上で何より必要なことは、みんなが満足して、お互いに裏表なく親切にすることなんだ。

　こいつらがうそつきで、王様でもなければ公爵でもなくて、ただの低級なインチキ野郎のペテン師だってことが、おらにははっきり分かるのにたいして時間はかからなかった。それでもおらは何にも言わなければ、そぶりも見せねえで、自分の胸の中にしまっておいた。それがいちばんいいんだ。そうすればけんかも起こらねえし、ごたごたにも巻き込まれねえ。やつらがおらたちに王様だの公爵だのと呼ばせたいとしても、それで一家の平和が保たれるなら、おらは何も文句は言わねえ。またジムに本当のことを話しても仕方がねえから、おらは話さなかった。とうちゃんから教わったことはほかに何もないけれど、とうちゃんと同類の連中とつき合うには、そいつらの勝手にさせておくのがいちばんいいってことだけは教わった。

# 第二十章

二人はなんだかんだとおらたちを質問攻めにして、おらたちが筏をそんな風にかくしたり、昼間は走らねえで休ませたりしているのはなぜだか知りたがって、ジムは逃亡奴隷かとたずねた。おらは言ってやった。

「ばかばかしい、逃亡奴隷が南のほうへいくもんか」

二人も、そりゃそうだと言った。おらは、なんとかして話のつじつまを合わせなけりゃならないので、こう言った。

「おらの家はミズーリ州のパイク郡にあって、おらもそこで生まれたんだけど、おらととうちゃんと弟のアイクのほかはみんな死んじまった。とうちゃんは、家をたたんで南へいって、ベンおじさんのとこで暮らそうと思った。おじさんは、オーリンズから七十キロ下った川っぷちに、ちっぽけな地所を持ってたんだ。とうちゃんは、すごく貧乏な上に借金を背負っていたんで、支払いをすませたあとには、たった十六ドルの金と黒んぼのジムのほかは何にも残らなかった。それだけじゃ、三等だろうと何だろうと、二千二百キロあまりも川を下る船賃には足りなかった。そのうちに川が増水して、とうちゃんはある日、運よくこの筏をつかまえた。それでおらたちは、この筏に乗ってオーリンズまで下ろうと思った。とうちゃんの運は長続きしなかった。ある晩、筏のへさきの角に汽船が乗り上げた。おらたちはみんな海へ飛びこんで外輪の下へもぐった。ジムとおらは無事に浮き上がったけど、とうちゃんは酒を飲んでいたし、アイクはたった四つだったから、とうとう二人ともそれっきり浮き上がらなかった。それから一日二日はえらい苦労したよ。だって、しょっちゅういろんな人が小舟に乗ってやってきて、ジムが逃亡奴隷にちがいないからと言って連れていこうとするんだもの。今じゃ、おらたちは昼間は筏を出さねえんだ。夜になれば、だれも手出しはしねえから」

公爵が言うには、

「昼間でも筏を出したいと思えば出せるような方法をなんとかひねり出すから、わたしにまかせてくれ。よく考えて、何とか解決策を案じてみる。今日のところはやめておこう。あの町のそばを昼のうちに通るのは、もちろん願い下げだ——安全とは言えまいからな」

夜になるころ、あたりが暗くなって、降り出しそうに見えた。地平線の近くで、音はしねえでいなずまだけがピカピカ光って、木の葉がザワザワ鳴りはじめた——いやな天気になりそうなことはひと目でわかった。そこで公爵と王様は、寝床はどんな具合かと思って小屋の中を調べはじめた。おらのはわらぶとんで、ジムのトウモロコシ皮のやつより上等だった。トウモロコシ皮のふとんには、いつも中に穂軸がごろごろしていて、そいつが突き刺さると怪我をする。それから、寝返りをうつと、かわいた皮の音が、まるで枯葉の山の中で寝返りをうってるみたいで、すごくガサガサいうから目がさめちまう。さて、公爵がおらのふとんに寝るって言うと、王様はいけねえと反対して、こうぬかした。

「身分の違いを考えれば、トウモロコシぶとんはわしが寝るのにふさわしくないくらいのことは分かりそうなものじゃ。閣下みずからトウモロコシぶとんを取られよ」

しばらくの間ジムとおらはやきもきして、二人の中でまた何かもめごとが起きるのじゃねえかと心配した。ところが、ありがたいことに公爵はこう言った。

「横暴なる鉄のかかとに踏みにじられて、泥沼にまろぶのがわたしのいつもの運命(さだめ)なのだ。かつては誇り高かったわたしの心も、不運に打ち砕かれた。譲ろう、従おう、それがわたしの運命だ。わたしはこの世でただひとり――甘んじて苦しみましょう。わたしはそれに耐えられる」

とっぷり日が暮れるとすぐ、おらたちは出発した。王様はおらたちに、筏を川の中ほどまで押し出して、町よりずっと下流に来るまでは明かりを見せちゃいけねえと言った。やがて明かりが少しかたまっているのが見えてきた――それが町だった――おらたちは町から八百メートルばかりの所を無事に通りすぎた。おらたちは、一キロほど下流へ来てから合図のカンテラをかけた。そこやがて十時ころになると、雨や風やかみなりやいなびかりがすごい勢いであばれはじめた。そこで王様はおらたちに、天気がよくなるまで二人とも見張りを続けろと命じた。そして自分は公爵といっしょに小屋にもぐりこんで、おやすみになってしまった。おらは十二時まで非番になっていたけど、たとえ寝床があったとしたって、どっちみち寝ちゃいなかっただろうな。だって、あんなすごい嵐は、とてもじゃないけど、一週のうち毎日お目にかかれるという代物じゃねえもの。まったく、その金切り声みたいな風の音といったらなかった。そして、一秒か二秒おきにいなずまがピカッと光って、八百メートル四方の波がしらを照らし出すと、雨の中であちこちの島がかすんで見えたり、木が風にゆれ動いてるのまで見えるんだ。そのうち、ダ、ダン！――バン！バン！　ダ、ダ、ダン、バンバンバン、とやってきて、そのあとはゴロゴロいいながらかみなりは遠ざかって、やがて消える――と思うと、ピカッとまた別のが光って、もう一発ゴロゴロがやってくる。ときどき波の勢いで筏から外へ押し流されそうになることもあったけど、おらは着物なんか着てなかったからへっちゃらだった。沈み木のことはなんの心配もいらなかった。いなびかりがしょっちゅうあたりをギラギラピカピカ照らしていたんで、沈み木に近づくよりずっと前から見えていて、筏のへさきを右に左に向けてぶつからないようにする時間がたっぷりあった。

おらは夜中から四時までの見張り番になっていたんだけど、そのころすごく眠くなったので、ジムは最初の半分をおらに代わって立ってくれるって言った。こういうふうにジムはいつでもとても親切だったんだ。おらは小屋にもぐりこんだが、王様と公爵が足をいっぱいに広げてるんで、おらのもぐりこむすきはなかった。それでおらは外で寝た。雨は気にならなかった。だって、暖かかったし、その時は波もたいして高くなってなかったからだ。ところが二時ごろにまた波が高くなったので、ジムはおらを起こそうとしたけど思い直してやめた。まだ、何かあぶない事が起こるほど高くなってるとは思わなかったからだ。だけど、ジムのその考えはまちがっていた。それからすぐ、いきなり本式の大波がやってきて、おらを筏から洗い流しちまった。それでジムは笑い死にするほど大笑いした。なんたって、ジムくらい笑い上戸の黒んぼは見たことがねえや。やがて嵐もすっかりやんでしまった。最初の小屋の明かりが見えるとすぐ、おらはジムをたたき起こして、おらが見張り番を代わって、ジムは横になったと思うと、すぐいびきをかきだした。

二人で筏を昼間のかくし場所にもぐりこませた。

朝めしがすむと王様は古ぼけたトランプを持ち出して、二人でセブンナップ(トランプの一種)を一ゲーム五セントでしばらくやっていた。そのうちトランプにもあきると、次にとりかかったのが、二人に言わせると「作戦を練る」仕事だそうだ。公爵は手さげカバンに手を入れると、印刷した小さなビラをひと山取り出して、大声で読み上げた。一枚のビラには、「高名なるパリーのアルマン・ド・モンタルバン博士」が、何月何日どこどこで、入場料十セントで「骨相学について講演し、「性格一覧表を一枚二十五セントで頒布する」と書いてあった。公爵は、その博士というのはわたしだと言った。もう一枚のビラでは、彼は「世界的に有名なシェイクスピア悲劇役者、ロンドンはドルーリー・レーン劇場の二代目ギャリック」になりすましていた。そのほかのビラでも公爵はいろんな名前を名のって、「占い杖」で水や金のありかを見つけたり、「魔女の呪文を解いたり、そのほかいろんなすばらしい業をやっていた。やがて公爵は言った。

「だが、演劇の神こそわが守護神だ。陛下は舞台を踏んだことがおありかね」

「いいや」と王様は答えた。

「それじゃ、三日もたたないうちに、落ちぶれ陛下に舞台を踏ませてあげよう」と公爵は言った。「これはと思う町へ着き次第、講堂を借りて、リチャード三世の剣劇のところと、ロミオとジュリエットの露台の場面をやることにしよう。いかがかな?」

「わしはな、ビルジウォーター、金になる仕事ならなんでも、とことんまでつきあう気じゃが、芝居のことは何も知らんし、あまり見たこともないのじゃ。御殿で父君(ちちぎみ)が見ておられたころは、わしは幼少の身じゃった。おまえさん教えてくれるかな?」

「お安い御用!」

「よろしい。いずれわしも何か新しいことをしたいとムズムズしておったところじゃ。さっそく始めよう」

そこで公爵は王様に、ロミオとはだれのことか、ジュリエットとはだれのことかをくわしく話して、自分は昔からロミオをやりつけているので、王様にはジュリエットになってくれと頼んだ。

「でもな、公爵よ、ジュリエットがそんな若い娘なら、わしのようにはげ頭で白いひげを生やしておっては、妙ちくりんな娘になりはせんかな」

「いや、心配御無用――ここらの連中はいなか者で、そんなことは念頭にない。それに、あんた、衣装を着るんだから、見違えるようになる。ジュリエットは、寝る前に月の光をながめたいと思って露台へ出てくるので、寝間着を着て、ひだ飾りのついたナイトキャップをかぶっている。これが役ごとの衣装だ」

公爵は、カーテン用のキャラコで仕立てた服を二、三着取り出して、リチャード三世と相手役の着る中世のよろいだと言った。それから、長い白い木綿の寝間着と、それに合うひだ飾りのナイトキャップを出して見せた。王様はそれで満足した。そこで公爵は本を取り出して、いろんな役のせりふを朗読した。正しいやり方を教えてやると言って、じつに見事に、大げさな口調でせりふを言いながら、それと同時に跳びはねるみたいな演技をして見せた。それから本を王様に渡して、役のせりふをおぼえるように言った。

川曲りから五キロばかり下った所にちっぽけないなか町があって、公爵は昼めしの後で、日中に筏を走らせてもジムの身に危険が及ばない方法を考えだしたから、町へ行って事をはこんでくるつもりだと言った。王様は、わしも行って、何か掘り出しものはないか見てくると言った。手もとのコーヒーが切れていたので、ジムは、おらもカヌーで二人といっしょに行って少し買ってきたらいいと言った。

町に着いてみると、出歩いている人間はひとりもいなかった。表通りはがらんとして、日曜日みたいにしーんと静まり返っていた。やっと一人の病気の黒んぼが、裏庭で日なたぼっこをしているのを見つけたが、その話では、うんと小さいか病気か年より以外の者は全部、森の中へ三キロばかりはいった所の野外集会に行っているということだった。王様はその道順をたずねると、これから出かけてその野外集会をタネにしぼれるだけしぼってみるから、おらもいっしょに来いと言った。

公爵は、自分が捜しているのは印刷所だと言った。おらたちが見つけた印刷所は、大工の仕事場の二階になってるちっぽけな建物で――大工も印刷屋もみんな集会に行ったあとで、ドアに鍵もかけてなかった。薄汚い、ちらかした所で、インキのしみだらけになって、馬や逃亡奴隷の絵を印刷したチラシが壁じゅうにはってあった。公爵は上着をぬぐと、これでよしと言った。そこでおらと王様は集会のほうへ出かけていった。

その場所へは三十分ばかりで着いたけれど、ものすごく暑い日だもんで、汗びっしょりになっちまった。そこには三十キロ四方から千人くらいの人が集まっていた。森の中は荷馬車でいっぱいで、いたる所につながれた馬が、馬車につけたかいば桶のえさを食べながら、足をドシンドシン踏んでハエを追っぱらっていた。棒を立てて木の枝で屋根をかけた小屋が並んでいて、レモネードやショウガパンを売っていた。西瓜や青トウモロコシやなんかの青ものも山と積んであった。

説教をやっている場所も、同じような小屋だったけど、ただもっと大きくて、人がたくさんはいれるようになっていた。ベンチは、丸太の外側を切った板で作ったもので、丸い方に穴をあけて棒を打ちこんで脚にしていた。背板なんかなかった。牧師は、小屋の片方のはじに高い演壇を作って、その上に立っていた。女たちは日よけ帽をかぶっていた。麻と毛の交ぜ織りのドレスを着ているのもいれば、ギンガムのもいるし、若い娘でキャラコのを着てる者もあった。若い男ではだしのがいるかと思うと、子供の中には麻のシャツ一枚のほか何も着てない者もいた。ばあさん連では編みものをしてるのがいるし、若い男女が人目を忍んで逢いびきしてるのもいた。

おらたちの行った最初の小屋では、牧師が賛美歌を二行ずつ読み上げて歌っていた。二行ずつ読み上げては、みんながその後について歌うんだけれど、なんしろ大勢いて、響きわたるような声で歌うもんだから、聞いてると重々しい感じがした。それから牧師がまた二行読み上げてはみんなに歌わせて——それを続けていくんだ。みんながだんだん興奮してくると、歌声もだんだん大きくなって、しまいごろには、うなりだす者や叫びだす者が出てきた。すると牧師が説教を始めた。それも、夢中になって始めた。はじめ演壇の片方のはじへ行ったと思うと、こんどは反対の側へ行ったり、その次には正面へ来て身を乗り出すというぐあいで、その間じゅう両腕や胴体を動かして、ありったけの声で文句をどなるんだ。そしてときどき聖書を高く上げて、パッと開くと、右や左にまわして見せるようにして「これこそ荒野の青銅のヘビなるぞ。仰ぎ見て生きよ！」(旧約聖書「民数記」第二十一章第五—九節)と叫んだ。するとみんなは、「めでたし！　アーァメン！」と大声で言った。こうして牧師が続けると、みんなは、うなったり泣いたりしながらアーメンをとなえた。

「おお、悔い改めたる者の席へ来たれ！　罪に汚れし者よ、来たれ！(アーメン！)病み苦しむ者よ、来たれ！(アーァメン！)足なえと盲の者よ、来たれ！(アーメン！)貧苦に身を堕とせし者よ、来たれ！(アーメン！)疲れ汚れ悩めるすべての者よ、来たれ！——傷つきし魂をもて来たれ！　悔い改めし心をもて来たれ！　ぼろと罪と汚れの衣をまといて来たれ！清めの水は無料にして、天国の門は開かれてあり——おお、入りて憩えよ！」(アーァメン、めでたし、めでたし、ハレルーヤ！)

そんなぐあいに進んでいった。叫び声と泣き声のせいで、牧師の言ってることは、もう聞きとれなかった。群衆の中のいたる所で立ち上がった人たちが、顔いちめんに涙を流しながら、ただ力ずくで人をかきわけて悔い改めの席へ駆けよった。悔い改めた者がみんな、正面のベンチにたどりついてひとかたまりになると、歌ったりわめいたりしながら、わらの上に身を投げだして、まるできちがいみたいにあばれた。

そのときふと気がつくと、王様はもう仕事にとりかかっていた。ほかの者より一段高い声が聞こえたと思うまもなく、王様は、突き進んで演壇の上へあがると、牧師からみんなに話をするようにと言われて、その通りにした。その話というのは、自分は海賊で――遠いインド洋で三十年も海賊をしていたが、この春の戦いでやられてすっかり手薄になったので、少し新手を仕入れようと思って、こんど故国へ帰ってきた。ところが、ありがたいことに昨夜金を盗まれて、一文なしになって汽船から岸へおろされちまった。でも、自分では喜んでいる。これほどありがたい目に会ったことはない。というのは、おかげで自分は人間が変わって、生まれてはじめてしあわせになったからだ。文なしにはなったけれど、これからすぐに引きかえして働きながらインド洋へ帰り、海賊どもを正しい道に連れ戻すために余生を過ごしたい。インド洋の海賊仲間は全部知っているから、自分はだれよりもこの仕事をうまくできる。お金がないから帰るのには長い時間がかかるだろうが、なんとかして帰ってみよう。海賊を改心させたら、そのたびにこう言ってやる。「わたしに礼を言うには及ばぬ。わたしのおかげではない、みんなあのポークビルの野外集会の

「海賊を三十年」

いとしい方々、同じ人類と生まれ合わせた、兄弟にして恩人なる方々のおかげ――それに、海賊のまたとなき誠の友なる、あのいとしい牧師さんのおかげなのだ」と。

そう言って王様がわっと泣きだすと、みんなも同じように泣きだした。それからだれかが大声で、「この方のために献金を集めよう、献金を集めよう！」と言うと、五、六人が飛び上がって献金しようとした。ところが、まただれかが、「その人に帽子を持ってまわってもらおう！」と言うと、みんながそうだと言って、牧師もこれに賛成した。

そこで王様は、帽子を持って群衆の間をぐるぐるまわり、涙をふきながら、その人たちを祝福したりほめ上げたりして、遠い所にいる海賊どもにそんなに親切にしてくれたことを感謝した。その間に、すごくかわいい女の子たちが、ほっぺたにいっぱいに涙を流しながら何回となくやってきて、思い出のためにキスさせてくれませんかと頼んだ。そのたびに王様はキスをしてやった。時には五回も六回も抱きしめてキスすることもあった――それから王様は、一週間くらいいて下さいと招かれた。みんなが自分の家に滞在して下さいと頼んで、そうすれば光栄に存じますと言った。だけど王様は、野外集会も今日で最後だから、これ以上いても仕方がないし、それに、自分は一刻も早くインド洋へ向かって、海賊を改心させる仕事にとりかかりたいと言った。

筏へ帰ってから勘定してみると、王様が集めた金は八十七ドル七十五セントあった。そのほか、おらたちが森の中を通って家へ帰る途中で、荷車の下にあるのを王様が見つけた十二リットル入りのウイスキーのびんも持って帰っていた。王様が言うには、今日のかせぎの総計は、今まで宣教方面の仕事でかせいだ一日の上がりとしては最高だそうだ。そして王様は、野外集会を煽るには海賊に限る、それに比べれば野蛮人なんぞ問題にならん、論外じゃと言った。

公爵は公爵で、自分はかなりうまくやってるつもりでいたら、そこへ王様が現われて、それから後はそんなにうまくやったとは思わなくなった。公爵はれいの印刷所で、農夫相手のちょっとした仕事を二つ――馬の広告だが――活字に組んで印刷してその代金に四ドルかせいだ。それから十ドル分の新聞広告を取って、前金で払えば四ドルでのせてやると言ったので――相手はその通りにした。新聞の値段は一年分で二ドルだったけれど、公爵は、前金で払う条件なら半ドルにするといって予約を三つ取った。相手はいつものように薪や玉ネギで代金を払おうとしたが、公爵は、新聞社を買い取ったばかりだから値段を下げられるだけ下げたんで、代金は現金払いでやってゆくつもりだと言った。そのほか、自分の頭でひねり出した自作の短い詩を活字に組んだ――三節あって――甘ったるい悲しそうなやつで――題名は『さあれ、冷酷なる世間よ、この破れし心を打ちひしげ』というんだ。それを公爵は、組み上げていつでも新聞に印刷できるようにして、この代金は取らねえと言った。そんなわけで公爵の取り分は九ドル半になったが、自分では一日分の仕事としてはかなりなものだと言っていた。

それから公爵は、もう一つ自分でちょこっと印刷したもので、おらたちのための仕事だから代金はいらねえというやつを見せてくれた。それは逃亡奴隷の絵で、棒の先に包みをくくりつけたのを肩に背負っていて、下に「賞金二百ドル」としてあった。なかの文句は全部ジムのことで、ぴったり当てはまるようになっていた。そして、この前の冬、ニューオーリンズの南六十五キロにあるサンジャック農場から逃亡して、たぶん北へ向かったと思われるが、だれでもつかまえて連れ戻した者には賞金と手間賃を支払うと書いてあった。

「これで」と公爵は言った。「今夜からは昼間でも筏を出したければ出せる。だれか近づいてくるのが見えたら、ジムの手足をなわでしばって、小屋の中に寝かせておく。相手にこのビラを見せてから、こいつを上流のほうでつかまえたけれど、貧乏で汽船に乗れないので、友だちからこの小さな筏を信用貸しで借りて、これから賞金をもらいに行くところだと言えばいい。手錠や鎖をかけたほうがジムが本物らしく見えるけれど、それじゃ貧乏だという話とうまく合わない。金ピカに見えすぎる。なわがちょうど合ってるんだ——芝居道でいう『一致の法則』を守らなきゃならない」

これなら昼間筏を走らせてもなんの心配もないだろうというので、おらたちはみんな、公爵の頭がいいのに感心した。でもその晩は、公爵が印刷所でやった仕事が、あのちっぽけな町で大騒ぎになっているだろうから、そのとばっちりがかからないくらい遠くまで行ったほうがよさそうだとおらたちは思った——それから後は気の向くままにスイスイ流していけばいいんだ。

おらたちはじっとかくれていて、十時ころまで筏は出さなかった。それからそっとこぎ出すと、町からずっと離れた所を走って、町が完全に見えなくなるまでカンテラも上げなかった。

ジムは、朝四時の見張りの交代におらを起こしに来たとき、こう言った。

「ハックよ、これから先の旅で、まだほかの王様にぶつかることがありそうだかね？」

「いや、もうあるめえ」

「ああ、そんならいいだ。王様の一人や二人ならかまわねえけんど、それ以上はたくさんだ。うちのやつはひどい飲んべえだし、公爵のほうもたいした違いはねえだ」

ジムはフランス語ってどんなもんだか聞きたいと思って、王様にフランス語でしゃべってくれと頼んでいたらしいが、王様は、この国に来てあまり長くなるし、いろいろ苦労も多かったので、忘れちまったと言った。

# 第二十一章

もう夜が明けていたけれど、おらたちは筏をつながねえで、どんどん進んでいった。やがて王様と公爵が、ひどく疲れた顔つきで起きてきた。でも、川へ飛びこんでひと泳ぎすると、二人ともだいぶ元気になった。朝めしのあと王様は、筏のひと隅に腰をおろし、長靴をぬいでズボンをまくり上げると、両足をだらっと水の中へ入れて気持よさそうにして、パイプに火をつけてから、ロミオとジュリエットのせりふの暗記にとりかかった。公爵は王様に、せりふの言い方を何べんもくり返して教えなければならなかった。そして、かなりよくおぼえると、公爵と二人で練習を始めた。ため息をつかせたり、胸に手を当てさせたりして、しばらくしてから、だいぶよくなったと言った。「ただ」公爵が言うには、「そんなふうに『ロミオ！』って、牛みたいに吠えちゃだめだ。やんわりと、せつなく、ものうげに、『ローォミオー！』と、こんなふうにやればいい。なにしろジュリエットは、まだかわいいねんねの小娘なんだから、ロバみたいなばか声は出さないんだ」

さてその次に二人は、公爵がカシの木をけずって作った長い木刀を二本取り出して、剣劇の練習を始めた——公爵は自分がリチャード三世だと言っていた。二人が剣を打ち合いながら筏の上をはねまわるありさまは、なかなか見ものだった。ところが、やがて王様がつまずいて川に落ちたので、その後二人はひと休みして、それまでいろいろな時に二人が川のあちこちで出会った、いろいろな冒険について話し合っていた。

昼めしがすむと公爵は言った。

「ところで陛下よ、こんどの興行では最高の芝居をやって見せたいから、もうちょっと出し物をふやしたらいいと思う。どうせアンコールに答えて何かやらなければならないし」

「アンコールとは何かね、ビルジウォーター？」

公爵はその意味を教えてから言った。

「わたしはスコットランド・ダンスか水夫踊りをやってアンコールに答えるつもりだが、あんたは——まてよ——よし、わかった——ハムレットの独白をやればいい」

「ハムレットの何じゃと？」

「ハムレットの独白だよ。シェイクスピアの中でいちばん有名なやつだ。いや、すばらしく高尚なものだよ！　かならず客をうならせる。この本には出ていないんだが——一冊しか持っていないから——でも、思い出しながらなんとかつなぎ合わせられるだろう。少しそこらを歩くうちに、忘却の彼方から呼び戻せるかどうかためしてみよう」

そう言って公爵は、大またで行ったり来たりしながら、思い出そうとしてやけに顔をしかめた。それから眉毛をぐいと上げたと思うと、こんどは額(ひたい)に手を押しあてて、よろよろ後ろに退(さが)ってうめくような声を出してみたり、その次はため息をついたり、またその次は涙を流すまねをしたりした。なかなかあざやかなものだった。そのうちにやっと思い出して、おらたちによく見ていろと言った。それから公爵は、片足を前につき出し、両腕を高く差し上げ、首をぐっと反(そ)らして空を見上げて、いやにえらそうな姿勢をとると、こんどは、どなったりわめいたり、歯ぎしりをしたりしはじめた。その後は、せりふをしゃべっている間じゅう大声で吠えたり、胸をふくらませたりする大げさな演技をして、今までに見たことがねえくらいの大芝居をやった。次のようなせりふだけど、公爵が王様に教えている間に、おらも簡単におぼえちまった。

生くべきや、はた、死すべきや。その短剣のひと突きが
この世の苦しみを長びかすのじゃ。
たれが重荷に堪えようぞ、バーナムの森がダンシネーンに来るまでは。
されど死後に来るものへの恐れが
大自然の与うる第二の恵みなる
汚れなき眠りを殺し
見知らぬあの世に飛びゆくよりは

暴虐な運命の矢玉を放たしめるのじゃ。
それを思えばこそ心もにぶる。
戸を叩いてダンカンを起こせ！　お願いじゃ。
たれが堪えようぞ、世の非難の鞭を、
暴君の不正を、おごれる者の無礼を、
裁判ののろさを、はたまた、
いつものおごそかな黒衣をまとうた墓場が
ぱっくり口を開く荒涼の真夜中の
傷心ゆえの死の苦しみを。
だが、旅人が生きて戻ったためしのない未知の国が、
地獄の毒気をこの世に吹きこみ、
かくして決意の本来の血色も、
諺の猫さながらに、心労の青白い色に塗りつぶされ、
館に低く垂れこめたむら雲も、
このために道を見誤り、
進むこともならずに終わる。
それこそ願ってもない大往生。だが、待て、美しきオフェリアよ、

重き大理石の口は閉じたまま、
尼寺へ行きゃれ——尼寺へ！

（『ハムレット』と『マクベス』のせりふをでたらめにつなぎ合わせたもの）

さて、じいさんはこのせりふが気にいったので、すぐにおぼえちまって、スラスラ言えるようになった。まるでこの役に生まれついたみたいで、調子が出て気分が乗るにつれて、からだを曲げたり反らしたりしながらせりふをしゃべりまくるところは、じつに見事なものだった。

印刷所が見つかるとすぐ、公爵は芝居のビラを印刷させた。それから二、三日、川を下っているあいだの筏の上といったら、めったにない賑やかな場所になった。なにしろ、公爵はけいこだと言って、年がら年じゅう剣劇ばかりやっているんだからな。アーカンソー州へはいってかなり南へ下ったある朝、大きな川曲りの所にちっぽけないなか町が見えてきた。そこでおらたちは、町から一キロくらい川上の、小川の入り口がイトスギにかこまれてトンネルみたいになってる所に筏をつなぐと、ジムのほかみんながカヌーに乗って、その町で芝居をやれる見込みがあるかどうか調べに出かけた。

おらたちはすごく運がよかった。その日の午後その町へサーカスが来ることになっていて、いなかの人たちが、いろんな種類の古いおんぼろ馬車に乗ったり馬に乗ったりして、もう集まりはじめていた。サーカスは日が暮れる前に行ってしまうということで、おらたちの芝居もうまくいきそうな気がした。公爵が役場を借りる算段をしたので、おらたちは町じゃうをまわってビラをはって歩いた。それにはこんな文句が書いてあった。

シェイクスピア劇再演!!!
すばらしい名作!
ひと晩かぎり!
世界的に有名な悲劇の名優
ロンドン市ドルーリー・レーン劇場専属
二代目デイヴィッド・ギャリック
ならびに
ロンドン市ピカデリー、プディング・レーン、ホワイトチャペルなる
ロイヤル・ヘイマーケット劇場および欧州の王立諸劇場専属
初代エドマンド・キーン
お目にかけまするは
両優主演によるシェイクスピア劇の
最高の見せ場、題して
「ロミオとジュリエット」
露台の場!!!

ロミオ…………ギャリック氏
ジュリエット……キーン氏
そのほか座員総出にて助演！
衣装・大道具・小道具新調！
加えて
「リチャード三世」劇中の
胸躍り血も凍る名剣劇場面!!!
リチャード三世……ギャリック氏
リッチモンド……キーン氏
および
（特別の御要望により）
ハムレットの不滅の独白!!
名優キーン氏の独演！
パリーにて三百回連続上演の記録！
欧州各地との契約により止むをえず
ひと晩かぎり！
入場料二十五セント、小人と召使十セント

　それからおらたちは、町じゅうをぶらぶらまわって歩いた。店も家もたいていは古ぼけて干からびた木造の建物で、ペンキを塗ったこともないぼろ家ばかりだった。川があふれても水につからないように、柱を立てて地面から一メートルばかりの高さに上げてあった。家のまわりは小さい庭になっていたけれど、これといって植えた物もないみたいで、チョウセンアサガオやヒマワリが生えてるほかは、灰の山と、古いしわくちゃの長靴や短靴と、びんのかけらと、ぼろ切れと、使い古したブリキ道具なんかがころがってるだけだった。板べいの材料もいろんな物のよせ集めで、いろんな時期に釘で打ちつけたもんだから、あっちこっちにかしいでいるし、門の蝶つがいもたいていは一つしかなくて――それも革のやつだった。中にはしっくいを塗った板べいもあったけれど、いつ塗ったことやら、公爵に言わせると、たぶんコロンブスの時代だろうということだった。庭にはよくブタがはいりこんでいて、家の人がそれを追い出していた。

　店は全部、一つの通りの両側に集まっていた。店のおもてには白木綿の日よけがかけてあって、いなかから来た連中は、その日よけの柱に馬をつないでいた。日よけの下には呉服物を入れる空箱が並べてあって、その上には浮浪者たちが一日中おみこしをすえて、ポケットナイフで箱をけずったり、嚙みタバコをかんだり、大口あけてあくびをしたり、背のびをしたり――ろくでもないやつらばかりだった。この連中はふだんは、こうもり傘くらいの幅広の黄色いむぎわら帽をかぶっていたが、上着やチョッキは着ていなかった。そして、お互いにビルとかバックとかハンクとかジョーとかアンディーとか呼び合って、だらしなくまのびのした話し方で、きたない言葉をすごくたくさん使っていた。日よけの柱一本に一人は浮浪者がよりかかっているくらいたくさんいたが、たいていいつも両手をズボンのポケットにつっこんでいた。その手を引っぱり出すのは、噛みタバコを人に貸してやる時とか、からだをひっかく時くらいのものだった。やつらが話し合ってるのを聞いてみると、いつもこんなことだった。

「タバコを一口くれよ、ハンク」

「だめだ——あと一口しきゃ残ってねえもの。ビルに頼め」

それでビルが一口くれることもあるし、うそをついて全然持ってないと言うこともある。こういう浮浪者の連中は、およそお金というものは一セントも持ってねえし、タバコだって自分の物は一口もねえんだ。自分で噛んでいるタバコはみんな借り物で——仲間に向かって、「一口貸してくれねえかな、ジャック、おれの最後の一口をたった今ベン・トムソンにやっちまったんだ」なんて言うが、だいたいうそにきまっていて、よそ者以外はだまされやしない。ジャックはよそ者じゃねえからこう答える——

「おめえがやつに一口貸してやったって？　そう言やあ、おめえの姉貴の猫の祖母さんも貸したそうだな？　まず今までにおれから借りた分を返せ、レーフ・バックナーよ。そうすりゃ、一トンでも二トンでも貸してやろうし、利子をつけて返せとも言いやしねえ」

「おい、前に少しは返したじゃねえか」

「たしかに返した――六口ばかりな。だけどおめえは、店売りのタバコを借りておきながら、真黒な安タバコで返したじゃねえか」

店売りのタバコというのは平べったい黒い棒タバコだけれど、こういう連中はたいていは天然の葉タバコをねじって嚙んでいた。仲間から一口借りる時には、普通はナイフで切り取らないで、棒を歯の間にくわえて、歯で嚙みながら二つに切れるまで両手で棒を引っぱるのだった――そこで、時には、タバコの持ち主が、返ってきた残りのほうをうらめしそうに見て、こんな皮肉を言うこともあった――

「おい、こっちの棒をやるから、その嚙んだほうをくれよ」

表通りも横町も全部泥だらけで、泥のほかには何もなかった――タールみたいに真黒な泥で、場所によっては三十センチも深さがあって、そのほかどこへ行っても六、七センチの深さになっていた。いたるところにブタが、ブーブーうなりながらうろつきまわっていた。見ていると泥だらけの雌ブタが子ブタどもをつれて表通りをブラブラやってきて、道のまん中でごろんと横になるもんだから、人間はそれをよけて歩かなきゃならねえ。そして子ブタどもが乳を吸っているあいだ、雌ブタは背伸びをしたり、目を閉じて耳をピクピクさせたりして、まるで給料でももらってるみたいにうれしそうな顔をしてるんだ。まもなく一人の浮浪者が、「それ！　行け！　やっつけろ、タイガー！」とどなると、雌ブタは、両方の耳に一匹か二匹の犬をぶら下げた上に、あと三、四十匹の犬に追いかけられながら、ものすごい金切り声をあげてすっとんでいく。そうすると浮浪者どもはみんな立ち上がって、その騒ぎが見えなくなるまで見送ってから、ああ面白かったと大笑いして、賑やかにやってくれてありがてえという顔つきをした。それからまたもとの席に戻って、犬のけんかが始まるのを待っているんだ。犬のけんかくらい、この連中の気持をわき立たせて、すっかりうれしくさせるものは、ほかになかった——あるとすれば、野良犬にテレピン油をひっかけて、それに火をつけるか、さもなければ、その尻尾にブリキのなべを結わえつけて、犬がきちがいみたいにきりきり舞いするのを見る遊びくらいのものだった。

川っぷちに建ってる家のなかには、土手の上に突き出して、おじぎをして背をかがめ、今にもころげ落ちそうになっているのもあった。家の人は引越してもういなかった。そうかと思うと、床下のひと隅の土手がえぐれて、その隅の所が宙に浮いてるような家もあった。そういう家にはまだ人が住んでいたが、時によると家の一軒分くらいの土手がいっぺんにガバッと陥没することもあるので危険だった。時には四百メートルもの長さの土地が、少しずつ崩れはじめて、それがだんだん広がって、しまいにはひと夏で全部が川の中へ崩れ落ちることもあった。そういう町は、川がいつも食い込んでいるわけだから、どうしても後へ後へと後退ばかりしてなきゃならねえんだ。

その日の昼が近づくにつれて、表通りの荷車や馬の数もふえる一方で、まだ後から後からつめかけていた。いなかからやってきた家族たちは、食事も持ってきていて、馬車の中で食べていた。ウイスキーを飲んでいるやつもかなりあって、けんかも三つばかり見た。そのうちにだれかが大声でどなった——

「ボッグズおやじが来たぞ！——毎月好例の大酒をくらいにいなかからおでましだ——そら来たぞ！」

浮浪者たちはみんなうれしそうな顔になった——たぶんこの連中は昔からボッグズをからかうのを楽しみにしていたんだろう。なかの一人が言う——

「やっこさん、こんどはいってえだれをぶっ殺すつもりだか。今まで二十年間、ぶっ殺すぶっ殺すって言ってた相手を、ほんとに全部ぶっ殺していたら、やっこさんも今ごろはずいぶん名を上げていたろうが」

もう一人が言うには、「ボッグズおやじにぶっ殺すと言われてみてえ。そうすりゃ、千年がとこは死なねえですむってわけだから」

そこへボッグズが、インディアンみたいにワーワーギャーギャーわめきながら、馬をすっ飛ばしてやってきて、こうどなった——

「さあ、そこをどけ。これから戦場に出陣じゃ。棺桶の値段が上がるぞ」

ボッグズは酔っぱらって、鞍の上でからだを揺すっていた。年は五十以上で、真赤な顔をしていた。だれもが大声で呼びかけて、からかったりののしったりしたが、ボッグズも負けずにやり返して、てめえらの番が来たら、順に一人ずつ相手をして片づけてやるから待っていろ——今日のところはシャーバン大佐のじじいを殺しに町へ来たんで、そのひまがねえ——「肉が先で、デザートは後まわし」ってのがおれの主義だ、と言った。

ボッグズはおらを見ると、馬を近づけて、

「小僧、どこから来た？　死ぬ覚悟はいいか？」

そう言って、行っちまった。おらはおっかなくなった。でもある人が言うには――

「本気で言ってるわけじゃねえ。酔っぱらうといつもああいった調子なんだ。アーカンソーじゅうをさがしたって、あれほど人のいいおっさんがいるもんか――酔っていてもしらふでも、人をあやめたことがねえ」

ボッグズは、町で一番大きな店の前に馬を乗りつけると、日よけの垂れ幕の下をのぞくように首をかがめて、こうどなった――

「出てこい、シャーバン！　てめえにかたられた人間が相手をするから出てこい。てめえに目星をつけた上は、かならず逃がすこっちゃねえ！」

そうやってボッグズは、口から出まかせにあらん限りの悪口をシャーバンに浴びせながら騒ぎたて、通りいっぱいにつめかけた人たちは、それを聞いて笑いながら大騒ぎをしていた。やがて年は五十五くらいの、えらそうな顔をした男が――しかも、この町では抜群にりっぱな身なりをしてるんだ――店の中から出てくると、つめかけた人たちも、通る道をあけて両側にさがった。その人はボッグズに向かって、いやに落ち着いてゆっくりと、こう言った――

「この騒ぎはもうたくさんだ。しかし、一時までがまんしてやろう。一時までだぞ、いいか

――それ以上は待たん。それ以後、ただの一度でも口を開いてわしの悪口を言ったら、わしの目の届かぬ所へ逃がしはせぬ」

そういうと男は後ろを向いて店の中へはいった。みんなすっかり酔いがさめたみたいになって、身動きをする者もなければ、笑い声も聞こえなくなった。ボッグズは、あらん限りの大声でシャーバンに悪態をつきながら、通りのずっと向こうまで走っていったが、またすぐ戻ってきて、店の前に立ち止まって、まだわめき続けていた。何人かがそのまわりをとりまいて黙らせようとしたが、言うことをきかなかった。あと十五分くらいで一時になるから、どうしても家へ帰れ――すぐにここを立ち去れ、と言ってきかせたが、なんの役にも立たなかった。相変わらずありったけの声でわめきちらし、帽子を泥の中へ投げつけてそれを馬にふんづけさせたと思うと、またすぐに、白髪を風になびかせながら、通りの向こうへすっとんでいった。ちょっとでもつかまえたら、なんとか言いくるめて馬から下ろし、押さえつけてしらふに戻してやろうとみんながやってみたが、やっぱりだめだった。ボッグズはやがてまた通りをつっ走ってくると、もう一回シャーバンに悪口を浴びせた。そのうちにだれかが言った――

「娘を連れてこい！――早くいって娘を連れてこい。娘の言うことなら聞くこともある。言って聞かせられるのは、娘のほかにはだれもいねえ」

そこでだれかが駆けだしていった。おらは通りのちょっと先までいって立ち止まった。五分か十分ばかりたって、ボッグズがまたやってきた――でも馬には乗っていなかった。帽子をぬいだまま、両側にいる友だちに腕を支えられて、せき立てられながら、おらのいるほうへよろよろと通りを進んできた。おとなしくなって、不安そうな顔つきだった。でも、ためらう様子は少しもなくて、自分から進んで足を早めているくらいだった。だれかが大声でどなった——

「ボッグズ！」

だれだと思ってその声のほうを見ると、それはさっきのシャーバン大佐だった。大佐は、通りのまん中に身動きもしないで立ったまま、右手のピストルを上げていた——ねらっているわけではなくて、銃身を空のほうへ傾けたまま握っていた。同じ瞬間に、小さな娘が、二人の男といっしょに走ってくるのが見えた。ボッグズととりまきの男たちは、声の主はだれだろうと振り向いた。ピストルが見えたので男たちはパッと一方へ飛びのいた。ピストルの銃身がゆっくり下がって、水平になった所でぴたりと止まった——打ち金は両方とも起こしてあった。ボッグズは両方の手を突き上げて、「助けて、撃たねえでくれ！」と言ったが、バン！と最初の一発が飛んで、ボッグズは、空をつかんでよろよろ後退し——バン！と二発目が飛ぶと、両腕を広げたまま、ドサッとにぶい音をたてて、ころげるように後ろの地面に倒れた。女の子は金切り声を上げて駆けより、泣きながら父親の上に倒れかかって、「ああ、殺しちゃった！殺しちゃった！」と言った。大勢の人がそのまわりをとり囲んで、お互いに押し合いへし合いしながら、首を伸ばして見ようとすると、内側にいる連中はそれを押し返そうとして、「さがれ、さがれ！風を入れてやれ、風を入れてやれ！」と叫んだ。

シャーバン大佐は、地面にピストルを投げすて、くるっと後ろを向いて、すたすた歩いていった。

みんなはボッグズを小さな薬屋へはこんでいった。そのまわりをやはり大勢の人がとり囲んで、その後に町じゅうの人がついていった。おらは走っていって、ボッグズの近くへ行って中をのぞけるように、窓ぎわのいい場所をとった。人びとはボッグズを床の上に寝かせて、一冊の大きな聖書を頭の下におき、もう一冊を開いて胸の上にのせたが――その前にまずシャツを切り広げたので、弾丸のうちの一発が当たった場所が見えた。ボッグズは十回以上もあえぐように長い息をした。吸い込むたびに胸の聖書が持ち上がり、吐き出すとまたそれが下がった――それから後はじっと動かなくなった。死んじまったんだ。するとみんなは、まだ大声で泣き叫んでいる娘を引き離して、連れていった。娘の年は十六くらいで、とてもかわいいおとなしそうな子だったけれど、顔を真青にしておびえていた。

まもなく町中の人がうようよ集まってきて、窓に近づいてひと目見ようと押しあいへし合いしたけれど、さきにそこへ来ている連中が場所を譲ろうとしないので、後ろにいる人たちは、「おい、おめえたちは、もうたっぷり見ただろう。いつまでもそこにがんばってだれにも見せねえのはまちがってるぞ、ずるいぞ。ほかの者だっておめえらと同じように見る権利があるんだ」といつまでもくり返していた。

おらは、ひと騒ぎもち上がるかもしれねえと思って、そっとその場をぬけ出したが、その時も中からずいぶんどなり返す声が聞こえた。表通りは人でいっぱいで、だれもが興奮していた。撃ち合いの現場を見た者はみんな、その時の様子をしゃべっていて、こういう連中の一人一人のまわりには大勢の人がかたまって、首を伸ばしてその話に聞きいっていた。髪を長く伸ばして、大きな白い毛皮のシルクハットをあみだにかぶって、柄のねじれた杖を持ったひょろ長い男が、ボッグズの立っていた場所とシャーバンの立っていた場所にしるしをつけた。みんなは、一つの場所からもう一つの場所までその後にくっついて、男のやることを残らず見つめながら、分かったというしるしにうなずいて見せた。そして、少し腰をかがめ、ひざに手をあてて、男が杖で地面に場所のしるしをつけるのを見ていた。その次に、男は、シャーバンの立っていた場所で、からだをぴんとまっすぐに伸ばし、顔をしかめながら帽子のつばを目深に下げて、大声で「ボッグズ！」とどなると、振り上げた杖をゆっくり水平に下げて「バン！」と言ってよろよろと後ろへ下がり、また「バン！」と言ってばったり仰向けに倒れた。撃ち合いを見ていた人たちは、男のまねは完璧で、何から何まで実際に起こった通りだと言った。すると十人以上もの人が酒のびんを出して男にふるまった。

そのうちにだれかが、シャーバンをリンチにしろと言いだした。一分もたたないうちに、みんなが同じことを口にしていた。そこでみんなは、夢中になって大声を上げ、首つりの道具にするのだと言って、物干し綱を手あたり次第にかっさらいながら歩きだした。

# 第二十二章

通りいっぱいに群がった人たちは、ワイワイガヤガヤと大騒ぎをしながら、シャーバンの家へ押しかけていった。この連中が進む道をあけなければ、何でも片っぱしから踏みつぶされてペシャンコになってしまいそうで、見るからに恐ろしい騒ぎだった。野次馬の前のほうを子供たちが、つかまっては大変とばかり、キャーキャー言いながら逃げまどっていた。道路沿いの窓という窓いっぱいに女たちが首をならべ、木という木には黒んぼの男の子が鈴なりで、へいというへいからは黒んぼの男や女たちがのぞいていた。そして、野次馬の群れがそばに近づいたとたんに、あわてて遠くのほうへ散って逃げた。大勢の女や娘たちが、すっかりおびえきって、大声で泣きわめいていた。

みんなはシャーバンの家のへいの前に、ぎゅう詰めに詰めかけたので、その騒ぎといったら頭がガンガンするくらいだった。そこは長さ六メートルばかりの小さい庭になっていた。だれかが「へいを倒せ！　へいを倒せ！」と叫んだ。たちまちバリバリメリメリッと板のこわれる音がし

て、ドサッとへいが倒れ、先頭にいた一列の野次馬は波をうってなだれこんだ。

ちょうどそのとき、シャーバンが、二連発銃を片手に持って、狭い正面玄関の屋根の上に姿を現わし、ひとことも口をきかないまま、落ち着きはらって悠々と身がまえた。騒ぎはぴったりやんで、人の波も後ろへ引いた。

シャーバンは何も言わないで、ただじっと立ったまま見下ろしていた。あんまり静かなので、からだがぞくぞくするみたいで気味がわるかった。シャーバンは並んでいる人びとの上にゆっくりと目を走らせた。目と目がぶつかるたびに、人々は、にらみ返してやろうとちょっとやってみたけれど、だめだった。つい目を伏せて、こそこそ横を向いてしまった。するとまもなくシャーバンは、笑ったみたいな顔になった。といっても愉快な笑い顔じゃなくて、パンを食べながら中にはいってる砂を噛んじまったときの感じみたいな笑い顔だった。

やがてシャーバンは、ゆっくりとあざけるみたいに言った。

「おまえらが人をリンチするというのか！　笑わせるでない。おまえらに男をリンチするだけの根性があると思っておるのか？　おまえたちが、この町へ流れてきた身よりのない宿なし女どもをつかまえて、こらしめて追っぱらうくらいの勇気があるからといって、男を相手にするだけのきもっ玉がすわっていると思うのか？　男なら、おまえらの一万人がかかってきても大丈夫だわ――昼間の勝負ならば、それに、後ろからやられるのでなければな」

「わしがおまえらを知らぬと思うか？　心の底まで知っておるわ。わしは南部で生まれ育った者じゃが、北部にも住んでおったので、おしなべて人の心は分かっておる。だいたい人間は臆病なものじゃ。北部の連中は、だれでも自分を踏みにじりたい者には勝手に踏みにじらせておいてから、家へ帰って、それにじっと耐える謙虚な心を与え給えと神に祈る。南部では、たとえば男がたった一人で、人の大勢乗っている駅馬車を真昼間(まっぴるま)に止めて、全員の持ち物を奪ったとする。南部の新聞はおまえらを勇敢な人種だとやたらに書きたてるものだから、おまえらは自分がほかのどの人種より勇敢だと思いこむ――ところが実際は、せいぜいほかの人種と同じくらい勇敢なだけで、それ以上に勇敢なわけではない。なぜおまえらの陪審員どもは人殺しを縛り首にしないのか？　それは、殺し屋の身内に暗闇で後ろから撃たれることを恐れておるからじゃ――また、事実そんなことをやりかねない連中だでな」

「そこで悪党はかならず無罪になり、それから男は、夜中に覆面をした臆病者を百人も背後にひきつれて、悪党をリンチにゆくのじゃ。おまえらのまちがいは、一人前の男を連れてこなかったこと、それが一つ。もう一つは、暗闇に覆面をしてこなかったことじゃ。おまえらが連れてきたのは、一人前の人間の半分――それそこにおるバック・ハークネス――じゃが、それが先に立ってけしかけなんだら、おまえらは口先のほらだけ吹いて終わったじゃろうが」

「おまえらは来る気はなかった。おおかたの人間は困難や危険を好まぬものじゃ。おまえらも困難や危険を好みはせぬ。だが、半人前の人間が――そこにおるバック・ハークネスのような男が――『リンチしろ、リンチしろ！』と叫ぶと、おまえらは尻ごみをすることを恐れ、自分の正体が——臆病者であることが——ばれるのを恐れ、そこで大声をあげて、その半人前の男の尻馬に乗って、これからどえらいことをやるのだと大げさにわめきながらここまできたのじゃ。世にもあわれなものは烏合の衆じゃが、軍隊もそれと同じことで烏合の衆じゃ。この手合は、生まれついての勇気で戦うのでなくて、衆をたのんだ借りものの勇気や、上官からの借りものの勇気で戦うのじゃ。だが、先頭に立つべき男を欠いた烏合の衆は、あわれみにさえ値せぬ。さておまえらのすることは、しっぽを巻いてねぐらへ帰り、穴にもぐり込むことじゃ。もし本物のリンチをやるとすれば、南部式に暗闇でやれ。来るときには覆面をして、男を連れてこい。さあ帰れ——半人前もいっしょに連れてゆけ」——そう言って大佐は、左の腕に銃を寝かせて打ち金を起こした。

野次馬たちはさっと後ろに下がると、ばらばらに分かれて大急ぎでてんでの方向に散ってゆき、バック・ハークネスも、みじめったらしい恰好でその後を追っかけていった。おらは、残っていようと思えばいられたけれど、残る気になれなかった。

おらはサーカスへ行って、裏手のほうをうろうろしながら見張りの男が通りすぎるのを待ち、それからテントの下へもぐりこんだ。おらは二十ドル金貨とそのほかにも少し金を持っていたけれど、こうして家を遠く離れて、知らねえやつらの間にいると、いつ金が要るようになるか分かったもんじゃねえから、しまっておいたほうがいいと思った。用心するに越したことはねえ。ほかにしようがなければサーカスに金を使うことに反対はしねえけれど、なにもわざわざむだな金を使うことはねえからな。

こいつはなかなか結構なサーカスだった。紳士と貴婦人みてえのが左右に二人ずつ並んで、馬に乗って次々に入場してくるところは、じつにすばらしい眺めだった。男のほうはズボン下にシャツだけで、靴もあぶみもつけねえで、ひざに手をおいてゆったりとらくな姿勢をとっている――たしか二十人くらいはいた。女のほうはみんな顔の色つやがよくて、すごい美人で、正真正銘の女王様が集まったみてえで、ダイヤモンドをいっぱいくっつけた、何百万ドルもするような衣装を着ていた。すごいりっぱなながめで、おらなんか見たことがねえようなきれいなものだった。やがて馬の上の男と女が一人ずつからだを起こして立ち上がると、リングのまわりを、じつにゆったりと波を打つようにしなやかにまわりはじめた。すらっと背が高くてからだを軽やかに伸ばした男たちが、頭をヒョイヒョイ動かしながら、テントの屋根の下に届くくらいに勢いよく走っていくと、女の人たちのバラの花びらみたいなドレスが、腰のまわりでひらひらと柔らかく上下して、とてもきれいなパラソルみたいに見えた。

そのうちに動きがだんだん早くなって、乗り手がはじめ片方の足を空に蹴り上げたと思うと、次にもう一方の足を蹴り上げて、みんな踊りはじめた。馬のからだもそれにつれて次第に前のめりになり、親方は中央の柱のまわりをぐるぐるまわりながら、むちを鳴らして大声で「ハイッ！ハイッ！」とかけ声をかけた。その後ろでは道化役がふざけちらしていた。そのうちに乗り手はみんな手綱を離した。女の人は全部こぶしを腰にあて、紳士はみんな腕を組んだ。そのときに馬も前かがみになって背中を丸くした！　そうして順々に馬から跳び下りてリングの中へ進み出ると、じつに上品なおじぎをしてから急いで出ていった。客はみんな手をたたいて夢中になって騒いだ。

それからずっと、サーカスが終わるまでのあいだ、きもをつぶすようなことばかりやって見せた。その途中ではれいの道化役がふざけちらして、客を大笑いさせた。親方が何かひとこと言うと、そのとたんに道化役は、おかしくてたまんねえような冗談を言い返すんだ。どうしてその場であんなうまい冗談を次から次へと思いつけるんだか、さっぱり分からねえ。おらなんか一年かかったってあんなにたくさん冗談は思いつけやしねえ。そうしてるうちに一人の酔っぱらいがリングに出ていこうとした——そして馬に乗りてえと言った。だれにも負けねえくらいうまく乗れるって言うんだ。サーカスの人たちがなんだかだと言って中にはいらせまいとしたが、酔っぱらいは言うことを聞かないんで、全部の演技が止まっちまった。こんどは客が酔っぱらいを大声でののしってからかいはじめると、やっこさん頭へきちまって、大あばれしはじめた。それで客もカッカとのぼせて、大勢の男がドヤドヤと客席から跳び下りて、「ぶっ倒せ！　ほうり出せ！」と言いながらリングのほうへ押しかけてくると、キャーッと叫び出す女の客も一人二人あった。そのとき親方は、みんなにちょっとお願いがあると言って、ご心配になるようなことはないと思いますので、この方がもうあばれないと約束して下されば、馬に乗れるとお考えなら乗せてあげてはいかがでしょうかと提案した。そこでみんなは笑って、よしと言ったので、酔っぱらいは馬に乗っかった。乗ったとたんに馬があばれて跳んではねまわりはじめた。それを押さえようどしてサーカスの男が二人も手綱にぶら下がるし、酔っぱらいは馬の首にしがみついたまま、馬がはねるたんびに足が空中に跳び上がるので、満場の観客は、立ち上がってわめきながら涙がポロポロ出るほど笑いころげた。しまいには、ほんとうにサーカスの人たちも手がつけられないまま、馬があばれだしてリングのまわりをグルグルきちがいみたいにまわりはじめた。その酔っぱらいも、馬の首にしがみついて背中に横になったきりで、はじめ片方の足が地面にくっつくくらいぶら下がってたと思うと、こんどは反対側の足がそっちのほうへぶら下がるというぐあいで、客も夢中になって見ていた。でもおらは、その人のあぶないところをビクビクしながら見ていると、笑うどころじゃなかった。ところが間もなく酔っぱらいは、もがきながらやっと馬の背にまたがると、右によろけ左によろけしながら手綱をつかんだ。と思うと次の瞬間には起き上がって手綱を離すとさっと立ち上がった！　馬も尻に火がついたみたいにつっ走った。やつはそうして馬上に立ったまま、まるで生まれてから酒なんか一滴も飲んだことがねえみたいに、ゆったりと落ち着いて馬を走らせた――その次には着ている物を脱いでは投げすてはじめた。あんまりたくさん脱いだので、空中にいっぱい詰まっちまうくらいで、全部で十七枚も脱いじまった。そうやって立った姿はすらっとしてかっこよく、びっくりするほど派手できれいな衣装をつけていた。それから馬にひと鞭くれるとビュンビュン走らせて、最後にパッと跳び下りると、一礼して踊るように楽屋へ引き上げていった。客はみんな、面白いやら驚いたやらで、ワーワー大騒ぎしていた。

そのうちに親方も、いっぱい食わされたことに気がついたんだけど、サーカスの親方があんな情けねえ顔をしたのははじめて見た。だって、あの酔っぱらいは自分の座員の一人だったんだからな！　やつはこのいたずらを自分ひとりだけで考え出して、だれにも教えなかったんだ。おらだって、すっかりかつがれて、いいかげんバツがわるかったけど、それでもあの親方みたいな思いをするのは、千ドルもらってもごめんこうむっただろうな。おらはよく知らねえから、このサーカスよりもっとすげえのがあるのかもしれねえけど、まだお目にかかったことはねえな。とにかくおらにはすごく面白かった。どこかでまたこのサーカスにぶつかったら、そのたびにおらが見にくることだけはまちげえねえ。

さて、その晩はおらたちが芝居を打つ番だったけど、ふたをあけてみたら、客は十二人くらいしかいなくて、もとをとるのがやっとこだった。しかも客はゲラゲラ笑ってばかりいたんで、公爵は頭へきた。なにしろ、芝居がはねる前に客はみんな帰っちまって、残ってるのは居眠りしてる子供ひとりだけだった。そこで公爵は、このアーカンソーのカボチャ頭どもにシェイクスピアなんか分かりやしない、こいつらに向いてるのは低級な喜劇だ、いや、それよりもっと下等なものかもしれないと言った。こいつら好みのものは何がいいか、およそ見当がつくと言った。そこで翌朝になると公爵は、大きな包み紙を数枚と黒いペンキとを用意して、ビラを何枚か書き上げると、村のあちこちにはりつけた。ビラにはこう書いてあった。

役場にて！

三晩かぎり！

世界的に有名な悲劇俳優

二代目デイヴィッド・ギャリック！

ならびに

初代エドマンド・キーン！

（ロンドンおよび欧州の諸劇場専属）

演じまするは戦慄の大悲劇

国王の麒麟(きりん)

別題

王室の絶品!!!

入場料五十セント

そして、いちばん下にいちばん大きな字で、こう書いてあった。

婦人と小人の入場おことわり

「さあ」公爵は言った。「この文句で客がよりつかないようだったら、アーカンソーとは縁切りだ」

# 第二十三章

そこで公爵と王様は、一日じゅう汗水たらして舞台を組み立てたり、幕を下げたり、フットライトのろうそくを並べたりした。その晩、小屋はたちまち客でぎっしり詰まった。もうこれ以上はいれなくなったところで、公爵は木戸番をやめて、裏口からまわって舞台に上がると、幕の前に立って口上をしゃべった。そしてこの悲劇をほめたてて、空前にして絶後でありますなんて言ったりして、この劇と、主役を演じることになっている初代エドマンド・キーンのことで大ぼらをふきまくった。やがて客たちみんなの期待がすっかり盛り上がったのを見て、公爵がするすると幕を引くと、そのとたんに王様が、はだかのまま四つんばいになって飛びだしてきた。からだじゅうに輪になった縞や筋をいろんな色で塗りたくって、まるで虹みたいにきれいだった。そのほか——まあ、そのほかの扮装はどうでもいいけれど、なにしろとっ拍子もねえもんで、こっけいといったらなかった。客は腹が張り裂けるほど笑った。そして王様がはねまわるのをやめて、飛ぶように舞台の後ろへ引っこむと、みんなは、わあわあ言って手をたたいたり、

大声でやんやと喝采したりしたので、王様はまた戻ってきて同じことを繰り返した。その後で、客は王様にもう一回同じことをやらせた。まったく、その時のじいさんのおどけぶりを見たら、牛だって腹をかかえて笑ったろうよ。

それから公爵は幕を下ろすと、客に一礼して、この大悲劇はあと二晩しか上演しない、それはロンドンでの公演が差し迫っているためで、ドルーリー・レーン劇場の入場券は全部売り切れているのだと言った。それから公爵はもう一回おじぎをして、さいわいにしてこの芝居がお気に召し、また、ためになると思われたら、知り合いの方々にも吹聴して、見物に来て下さるよう、おすすめいただければたいへん幸福であると言った。

二十人ばかりの人が大声でどなった。

「なんだ、これで終わりか？　これだけなのか？」

すると公爵はそうだと言った。それからえらい騒ぎが持ち上がった。みんなが「一杯くわされた」とどなって、どやどや立ち上がると、舞台のほうへ、役者のほうへ押しかけようとした。ところが、ひとりのりっぱな身なりの大男がベンチの上へ跳び上がって叫んだ。

「待って下さい！　みなさん、ちょっとひとこと」みんなは立ち止まって耳を傾けた。「われわれは一杯くわされた――一杯どころか、したたかくわされた。しかしわれわれは、町じゅうの笑いものになりたくないし、また、このまま泣き寝入りということには絶対なりたくない。そんなことはまっぴらだ。それよりは、この場は黙って出ていって、町の連中にこの芝居のことをほめそやし、やつらにも一杯くわしてやりたい！　そうなればわれわれは、みんな恨みっこなしになる。これが利口なやり方ではないか？」（「その通りだ！——判事さんの言う通り！」一同はどなった）「それなら、よし——一杯くわす話はここだけのこと。家へ帰って、悲劇を見に行けとみんなにすすめるのだ」

次の日、町じゅうどこへ行っても、その劇がどんなにすばらしいかという話で持ちきりだった。その晩、小屋はまたぎっしりの客で、おらたちはこの連中にも同じ手口で一杯くわした。おらと王様と公爵は筏のわが家へ戻ると、いっしょに晩めしを食った。やがて真夜中ごろ、二人はジムとおらに筏を出させて、川の中ほどを下って、町から三キロばかり川下のあたりで岸に寄せてかくしておけと言った。

三日目の晩も小屋は満員になった——でも、今度の客は新顔ではなくて、前の二晩に芝居を見に来た連中だった。おらが木戸口で公爵のそばに立って見ていると、はいってくる客がひとり残らずポケットをふくらましているか、さもなければ上着の下に何か包んで持っていた——しかも、香水みたいないい匂いのするものなんかひとつもなかった。腐った卵の匂いがいやというほどしていたし、そのほか腐れキャベツだのなんだのの匂いがした。死んだ猫がそばにいるとしたら、その匂いをおらはきっとかぎつけてみせるけど、そのとき小屋にはいった猫の数は、まちがいなく六十四匹はいた。おらもちょっと小屋の中に割りこんでみたが、とにかく鼻もちならねえ匂いで、がまんできなかった。さて、これ以上ひとりもはいれねえくらい一杯になると、公爵はだれかに二十五セント玉をやって、ちょっと木戸番をしてくれと頼んでから、楽屋口のほうへまわっていったので、おらも後についていった。ところが、角をまわって暗い所へ来たとたんに公爵は言った。

「さあ、人家を離れるまで早足で歩いて、それから後は尻に火がついたみたいにつっ走るんだ！」

おらはその通りにした。公爵も同じだった。おらたちは同時に筏にたどりついて、それから二秒とたたねえうちに、真暗でしーんとしてる川を静かに渡って、じわじわと川のまん中へ寄っていったが、その間だれも口をきかなかった。おらは、さぞかし王様は客にひどい目にあわされてるだろうと思っていたら、とんでもねえ、まもなくやつは小屋の中からはい出してきて言った。

「おい公爵、れいの一件はこんどはどうだった？」

やつは初めから町へなんか行ってなかったんだ。

おらたちは、その村から十五キロばかり下るまで、明かりを全然つけなかった。その後でやっと火を入れて晩めしにした。王様と公爵は、村のやつらをまんまとだましてやったと言って、あごがはずれるほど大笑いした。公爵が言うには、

「脳たりんのポンツクめ！　初日の客は口をつぐんで、ほかの連中がひっかかるのを黙って見ているだろうと、こっちはちゃんとにらんでいた。それから三日目の晩は、やつらが、こんどは自分たちの番だと思って、待ち伏せすることも分かっていたんだ。さあ、おまえたちの番だぞ、

腕前のほどをぜひ拝見したいもんだ。せっかくのチャンスをどう生かすつもりか、ぜひ教えてもらいたいもんだ。なんならピクニックに模様がえするのもよかろうぜ——山ほど食い物を持ちこんだのだからな」

二人の悪党は、あの三晩のうちに、四百六十五ドルもかせいだ。それは、おらが見たこともねえような、荷車ではこぶほどの大金だった。

やがて、二人がいびきをかいて眠ってるあいだにジムが言った。

「ハックよ、この王様たちのやりようを見て、おめえさん驚かねえだか？」

「いいや、驚かねえ」

「どうしてだ、ハック？」

「だってあれは生まれつきなんだから、驚くにあたらねえ。王様なんてみんなああいうものらしいや」

「でもハックよ、うちの王様たちは正真正銘の悪党だ。うそじゃねえ、正真正銘の悪党だよ」

「だからそう言ってるだろ。おらが調べたところでは、王様はみんなたいてい悪党だ」

「そうかね？」

「いちど本で読んでみればわかるよ。ヘンリー八世を見てみろ。うちの王様なんか、それに比べりゃ日曜学校の校長先生みてえなもんさ。それから、チャールズ二世だの、ルイ十四世だの、ルイ十五世だの、ジェームズ二世だの、エドワード二世だの、リチャード三世だの、そのほか何十人ているのを見てみろ。まだそのほかにも、大昔にあばれまわって大騒ぎしたサクソンの七王国なんていうのもあるんだ。まあ、ヘンリー八世の全盛のころを見れば分かるだろうよ。豪勢なもんだぜ。なにしろ毎日新しい奥さんと結婚しては、翌朝になるとその首をちょんぎったんだぜ。それも、まるで卵でも持ってこさせるみたいにあっさりやっちまうんだからな。「ネル・グイン(一六五〇—八七。チャールズ二世の情婦であった女優)を連れてまいれ」って言うんで連れていくと、翌朝は「首を切れ！」とき て首をちょんぎる。「ジェーン・ショア(?—一五二七?エドワード四世の情婦)を連れてこい」と言うんで連れていく。翌朝は「首を切れ！」でチョン。「美人のロザマン(?—一一七六。ヘンリー二世の情婦)を呼んでこい」で、美人のロザマンがお召しに答える。翌朝は「首を切れ！」だ。その上にこの王様は、ひとりひとりの奥さんに毎晩ひとつずつ話をさせたんだ。そうやってしまいに千と一つの話がたまるまで続けて、それからその話をまとめて一冊の本にして「審判日台帳(ドゥームズデー・ブック)」(一〇八五—八六年にウィリアム一世が作らせた土地台帳)という名前をつけた——そういう本らしい、いい名前じゃねえか。ジム、おめえは王様のことを知らねえが、おらは知ってるから言うけれど、おらたちんとこのやくざじじいなんぞは、歴史の本でおらがぶつかった王様たちに比べれば、ずいぶんきれいなほうさ。ヘンリーのやつがこの国にけんかを売ろうと思いついたとき、どういうやり方で始めたと思う——予告でもしたか——アメリカにもチャンスを与えたか？　そんなことするもんか。やつはいきなり、ボストン港内の船に積んであったお茶を全部海に投げこんでから、独立宣言を突きつけて、くるならきてみろとぬかしやがった。それがやつの得意の手で——相手に全然チャンスを与えねえんだ。やつは、自分のおやじのウェリントン公爵をあやしいとにらんでいた。それでどうしたと思う――おやじに出てこいとでも言ったか？　どういたしまして――ブドウ酒の大だるの中にぶちこんで、猫の子みたいに溺れ死にさせちまったんだ。やつのそばに人がお金を忘れていったとしたら――どうすると思う？　黙って頂戴しちまうんだ。やつに何か仕事を頼んだとして、ちゃんと金を払っても、こっちがそばにすわって、やつの仕事ぶりを見とどけていねえと――どうすると思う？　かならず頼まれたのとは反対のことをやっちまうんだ。やつが口をあけると――さて、どうなる？　その口をすぐにしめねえかぎり、あけるたびに嘘がとび出すというわけさ。そういう大変なやつだったんだ、ヘンリーは。だから、おらたちの王様の代わりにヘンリーがいっしょにいたとしたら、あの町をペテンにかけるやり方も、うちのやつらよりずっとひどいものだったろうよ。といって、うちの連中が子羊みたいというわけじゃねえ。事実ありのままを考えてみれば、子羊どころじゃねえからな。それでも、ヘンリーなんていう古株の雄羊に比べたら問題じゃねえ。なんと言ったって、王様は王様で、そこんとこはよく考えてやらなきゃならねえ。ひっくるめて言えば、ずいぶん下等な連中さ、そういうふうに育てられたんだから仕方ねえんだ」

「でも、ハックよ、うちのやつもひでえ鼻つまみでねえか？」

「やつらはみんな鼻つまみなんだよ、ジム。王様の鼻つまみはどうしようもねえんだ。歴史の本を見たって、鼻つまみの防ぎようは書いてねえ」

「でも公爵は、なかなかいいやつだと思う時もあるだな」

「うん、公爵は別だよ。でも、たいした違いはねえ。うちのやつも、公爵にしちゃかなりひでえもんだ。あいつが酔っぱらうと、近眼の人には王様との見分けがつかねえや」

「まあ、どっちにしても、あの手合いはもう願い下げだな、ハック。もうこれ以上は我慢ならねえ」

「おらの気持も同じだよ、ジム。でも、やつらを背負いこんじまったからには、やつらがどんな人間だかを思い出して、がまんしなきゃならねえ。どこかに王様のいねえ国はねえもんかと思うことがあるだな」

こいつらは本物の王様や公爵じゃねえと、ジムに話してみたって仕方のねえことだ。そんなことしたってなんの役にも立たねえ。それに、前にも言った通りで、こいつらと本物とは見分けがつかねえんだ。

おらは眠っちまったが、おらの見張りの番がきても、ジムはおらを起こさなかった。こんなことは今までに何回もあった。おらが目をさましたのはちょうど夜明けごろだったけど、ジムはひざの間に頭をかかえたまますわりこんで、うめくようにぼそぼそとひとりで泣きごとを言っていた。おらは見向きもしねえで知らんぷりをしていた。ジムが何を考えてるか、おらには分かっていた。ジムは、ずっと北のほうに残してきた女房と子供のことを考えて、それでふさぎこんでホームシックになっていたんだ。それは、ジムが生まれてからまだ一度も家を遠く離れて暮らしたことがなかったからだ。ジムが家族を思う気持は、白人が家族を思う気持とちっとも変わらねえと、おらは本当にそう思う。そんなことは筋が通らねえと思われるかもしれねえが、おらは本当にそうだと思う。ジムは、夜になって、おらが眠ったと見ると、そんなふうにうめいて、泣きそうな声で「かわいそうなリザベス！　かわいそうなジョニー！　つれえこった。もう二度と、二度とおめえたちに会えそうもねえ！」と言ってることがよくあった。本当にやさしい黒んぼだったよ、ジムは。

でも今度は、どういうわけだかおらは、ジムを相手に、ジムのかみさんや子供たちの話をしはじめた。やがてジムが言うには、

「今あっしがふさぎこんでるわけは、ついさっき向こうの土手の上でドシンとかバタンとかいう音が聞こえたためなんで、それで思い出したのが、かわいいリザベスをひでえ目にあわした時のことですだ。そのころ娘は四つになるやならずだったが、ショーコー熱にかかって、えらい苦しみをしただ。それでもやっと直って、ある日ぶらぶらしていたんで、あっしが、『ドアをしめろ』って言うと、ドアをしめもしねえで、にこにこ笑ってあっしのほうを見ながら、ただつっ立っているだ。それであっしはカッときて、ばか声をはりあげてもう一度、『聞こえねえだか？――ドアをしめろ！』って言うと、娘はやっぱりそこに立ったまんま、にこにこ笑ってばかりいるだ。おらは頭へきちまって、

『よし、分からなけりゃ分かるようにしてやる！』とどなった。

そう言ってあっしが娘の横っ面をピシャリとぶんなぐると、娘はそこにへたばっちまった。そ

れからあっしは別の部屋へ入(へえ)って、十分ばかしたってからまた戻ってみると、ドアはまだあいたまんまで、娘はその入口につっ立って、下を向いてメソメソして、涙をポロポロ流していただ。あっしはまたカッときて、娘のほうへ向かっていっただが、ちょうどそのとき——そのドアは内側に開く作りになっていて——ちょうどそのとき風が吹いて、娘の後ろでドアがバターンとしまっただ——ところがどうだ、娘はビクとも動かねえ！ あっしは、からだじゅうの息がいっぺんに抜けちまったみてえな、そのときの気持といったらまったく——まったく——なんて言っていいだか分からねえ気持だった。あっしは、ぶるぶる震えながら、こっそり部屋を出て、音がしねえように近よって、ドアをそうっとゆっくりあけて、娘の後ろから静かにそうっと首をつっこむと、いきなり、できるだけ大声をはりあげて、ワーッ！ てどなっただ。娘はビクとも動かねえ！ ハックよ、あっしは大声をあげると娘を両腕にギュッと抱きしめて、『おお、かわいそうに！ 神さま、あわれなジムをお許し下せえまし、ジムは一生われとわが身を許すことはできねえ』と言っただ。ハックよ、娘はまるっきり口も耳もきかねえ、ねっからつんぼでおしになっていただ——その娘をあっしはそんなひでえ目にあわせただよ！」

ハックルベリー・フィンの冒険（上）〔全2冊〕
マーク・トウェイン作

定価はカバーに表示してあります

1977年8月16日　第1刷発行
1995年1月17日　第30刷発行

訳　者　西田　実

発行者　安江良介

発行所　株式会社 岩波書店
〒101-02 東京都千代田区一ツ橋2-5-5

電　話　案内03-5210-4000　営業部03-5210-4111
文庫編集部03-5210-4051

印刷・三秀舎　カバー・精興社　製本・桂川製本

ISBN4-00-323115-5　　Printed in Japan

# 読書子に寄す

## ——岩波文庫発刊に際して——

岩波茂雄

真理は万人によって求められることを自ら欲し、芸術は万人によって愛されることを自ら望む。かつては民を愚昧ならしめるために学芸が最も狭き堂宇に閉鎖されたことがあった。今や知識と美とを特権階級の独占より奪い返すことはつねに進取的なる民衆の切実なる要求である。岩波文庫はこの要求に応じそれに励まされて生まれた。それは生命ある不朽の書を少数者の書斎と研究室とより解放して街頭にくまなく立たしめ民衆に伍せしめるであろう。近時大量生産予約出版の流行を見る。その広告宣伝の狂態はしばらくおくも、後代にのこすと誇称する全集がその編集に万全の用意をなしたるか。千古の典籍の翻訳企図に敬虔の態度を欠かざりしか。さらに分売を許さず読者を繋縛して数十冊を強うるがごとき、はたしてその揚言する学芸解放のゆえんなりや。吾人は天下の名士の声に和してこれを推挙するに躊躇するものである。このときにあたって、岩波書店は自己の責務のいよいよ重大なるを思い、従来の方針の徹底を期するため、すでに十数年以前より志して来た計画を慎重審議この際断然実行することにした。吾人は範をかのレクラム文庫にとり、古今東西にわたって文芸・哲学・社会科学・自然科学等種類のいかんを問わず、いやしくも万人の必読すべき真に古典的価値ある書をきわめて簡易なる形式において逐次刊行し、あらゆる人間に須要なる生活向上の資料、生活批判の原理を提供せんと欲する。この文庫は予約出版の方法を排したるがゆえに、読者は自己の欲する時に自己の欲する書物を各個に自由に選択することができる。携帯に便にして価格の低きを最主とするがゆえに、外観を顧みざるも内容に至っては厳選最も力を尽くし、従来の岩波出版物の特色をますます発揮せしめようとする。この計画たるや世間の一時の投機的なるものと異なり、永遠の事業として吾人は微力を傾倒し、あらゆる犠牲を忍んで今後永久に継続発展せしめ、もって文庫の使命を遺憾なく果たさしめることを期する。芸術を愛し知識を求むる士の自ら進んでこの挙に参加し、希望と忠言とを寄せられることは吾人の熱望するところである。その性質上経済的には最も困難多きこの事業にあえて当たらんとする吾人の志を諒として、その達成のため世の読書子とのうるわしき共同を期待する。

昭和二年七月

## 《東洋文学》

- ☆陶淵明全集 全二冊　松枝茂夫・和田武司訳注
- 王維詩集　小川環樹・都留春雄・入谷仙介選訳
- ☆杜甫詩選　黒川洋一編
- 李賀詩選　黒川洋一編
- ☆唐詩選 全三冊　前野直彬注解
- ☆中国名詩選 全三冊　松枝茂夫編
- 唐宋伝奇集 全二冊　今村与志雄訳
- 完訳三国志 全八冊　小川環樹・金田純一郎訳
- 紅楼夢 全十二冊　曹雪芹・高蘭墅　松枝茂夫訳
- 西遊記 全十冊(八以下未刊)　小野忍・中野美代子訳
- 浮生六記　沈復　松枝茂夫訳
- ☆菜根譚　今井宇三郎訳注
- 野草　魯迅　竹内好訳
- 阿Q正伝・狂人日記 他十二篇　魯迅　竹内好訳
- 魯迅評論集　竹内好編訳
- 子夜(真夜中) 全二冊　茅盾　小野・高田訳
- 駱駝祥子 ―らくだのシアンツ　老舎　立間祥介訳
- 中国民話集　飯倉照平編訳
- リグ・ヴェーダ讃歌　辻直四郎訳
- マハーバーラタ ナラ王物語 ―ダマヤンティー姫の数奇な生涯　鎧淳訳
- バガヴァッド・ギーター　上村勝彦訳
- タゴール詩集　渡辺照宏訳
- 朝鮮童謡選　金素雲訳編
- 朝鮮民謡選　金素雲訳編
- アイヌ神謡集　知里幸恵編訳
- アイヌ民譚集　知里真志保編訳

## 《ギリシア・ラテン文学》

- ホメロス イリアス 全二冊　松平千秋訳
- イソップ寓話集　山本光雄訳
- アイスキュロス 縛られたプロメーテウス　呉茂一訳
- アンティゴネー　ソポクレース　呉茂一訳
- ソポクレス オイディプス王　藤沢令夫訳
- ヘシオドス 神統記　廣川洋一訳
- ヘシオドス 仕事と日　松平千秋訳
- アリストパネース 平和　高津春繁訳
- ☆アポロドーロス ギリシア神話　高津春繁訳
- ダフニスとクロエー　ロンゴス　松平千秋訳
- プルターク英雄伝 全十二冊　河野与一訳
- アベラールとエロイーズ　畠中尚志訳
- ギリシア・ローマ抒情詩選 ―花冠　呉茂一訳
- ☆ギリシア・ローマ神話　ブルフィンチ　野上弥生子訳
- ギリシア・ローマ古典文学案内　高津春繁・斎藤忍随

## 《イギリス文学》

- ユートピア　トマス・モア　平井正穂訳
- ベーコン随想集　渡辺義雄訳
- ロミオとジューリエット　シェイクスピア　平井正穂訳
- ハムレット　シェイクスピア　市河・松浦訳

☆印の書目には、文庫版のほかに活字の大きいワイド版〔B6判、並製・カバー〕もあります

十二夜　シェイクスピア　小津次郎訳
お気に召すまま　シェイクスピア　阿部知二訳
ジュリアス・シーザー　シェイクスピア　中野好夫訳
ヘンリー四世　全二冊　シェイクスピア　中野好夫訳
☆ヴェニスの商人　シェイクスピア　中野好夫訳
オセロウ　シェイクスピア　菅泰男訳
リア王　シェイクスピア　斎藤勇訳
ソネット集　シェイクスピア　高松雄一訳
失楽園　全二冊　ミルトン　平井正穂訳
ロビンソン・クルーソー　全二冊　デフォー　平井正穂訳
桶物語・書物戦争　他一篇　スウィフト　深町弘三訳
☆ガリヴァー旅行記　スウィフト　平井正穂訳
ワーズワース詩集　田部重治選訳
高慢と偏見　全二冊　ジェーン・オースティン　富田彬訳
縛を解かれたプロミーシュース　シェリー　石川重俊訳
イノック・アーデン　テニスン　入江直祐訳

☆印の書目には、文庫版のほかに活字の大きいワイド版〔B6判、並製・カバー〕もあります

ディケンズ短篇集　小池滋・石塚裕子訳
ジェイン・エア　全二冊　シャーロット・ブロンテ　遠藤寿子訳
嵐が丘　全二冊　エミリ・ブロンテ　阿部知二訳
サイラス・マーナー　G・エリオット　土井治訳
アルプス登攀記　全二冊　ウィンパー　浦松佐美太郎訳
テス　全二冊　ハーディ　井上・石田訳
ラ・プラタの博物学者　ハドソン　岩田良吉訳
宝島　スティーヴンスン　阿部知二訳
心　―日本の内面生活の暗示と影響　ラフカディオ・ハーン　平井呈一訳
怪談　―不思議なことの物語と研究　ラフカディオ・ハーン　平井呈一訳
ドリアン・グレイの画像　ワイルド　西村孝次訳
サロメ　ワイルド　福田恆存訳
ヘンリ・ライクロフトの私記　ギッシング　平井正穂訳
南イタリア周遊記　ギッシング　小池滋訳
闇の奥　コンラッド　中野好夫訳
タイム・マシン　他九篇　H・G・ウェルズ　橋本槇矩訳

透明人間　H・G・ウェルズ　橋本槇矩訳
モロー博士の島　他九篇　H・G・ウェルズ　橋本・鈴木訳
りんごの木　人生の小春日和　ゴールズワージー　河野一郎訳
サキ傑作集　河田智雄訳
月と六ペンス　モーム　阿部知二訳
雨・赤毛　他一篇　モーム　朱牟田夏雄訳
マンスフィールド短篇集　幸福・園遊会　崎山正毅・伊澤龍雄訳
ロレンス短篇集　河野一郎編訳
ローソン短篇集　伊澤龍雄編訳
ナイティンゲール伝　他一篇　リットン・ストレイチー　橋口稔訳
文芸批評論　T・S・エリオット　矢本貞幹訳
オーウェル評論集　小野寺健編訳
パリ・ロンドン放浪記　ジョージ・オーウェル　小野寺健訳
カタロニア讃歌　ジョージ・オーウェル　都築忠七訳
☆イギリス名詩選　平井正穂編
20世紀イギリス短篇選　全二冊　小野寺健編訳

イギリス民話集　河野一郎編訳

《アメリカ文学》

フランクリン自伝　松本慎一・西川正身訳
☆ギリシア・ローマ神話　ブルフィンチ　野上弥生子訳
☆中世騎士物語　ブルフィンチ　野上弥生子訳
完訳 緋文字　ホーソーン　八木敏雄訳
ホーソーン短篇小説集　坂下昇編訳
黒猫・モルグ街の殺人事件 他五篇　ポオ　中野好夫訳
☆森の生活（ウォールデン） 全二冊　ソーロー　神吉三郎訳
白鯨 全三冊　メルヴィル　阿部知二訳
ハックルベリー・フィンの冒険 全二冊　マーク・トウェイン　西田実訳
王子と乞食　マーク・トウェイン　村岡花子訳
バック・ファンショーの葬式 他十一篇　マーク・トウェイン　坂下昇訳
不思議な少年　マーク・トウェイン　中野好夫訳
☆人間とは何か　マーク・トウェイン　中野好夫訳
いのちの半ばに　ビアス　西川正身訳
ヘンリー・ジェイムズ短篇集　大津栄一郎編訳
☆オー・ヘンリー傑作選　大津栄一郎訳
荒野の呼び声　ジャック・ロンドン　岩田欣三訳
あしながおじさん　ジーン・ウェブスター　遠藤寿子訳
フィッツジェラルド短篇集　佐伯泰樹編訳
日はまた昇る　ヘミングウェイ　谷口陸男訳
武器よさらば 全二冊　ヘミングウェイ　谷口陸男訳
ヘミングウェイ短篇集 全二冊　谷口陸男編訳
怒りのぶどう 全三冊　スタインベック　大橋健三郎訳
☆アメリカ名詩選　亀井俊介・川本皓嗣編

《南北欧文学その他》

神曲 全三冊　ダンテ　山川丙三郎訳
太陽の都　カンパネッラ　近藤恒一訳
チェッリーニ自伝 全二冊　古賀弘人訳
カヴァレリーア・ルスティカーナ 他十一篇　G・ヴェルガ　河島英昭訳
無関心な人びと 全二冊　モラーヴィア　河島英昭訳
ドン・キホーテ 正・続各三冊　セルバンテス　永田・高橋訳
セルバンテス短篇集　牛島信明編訳
血と砂　ブラスコ・イバーニェス　永田寛定訳
悪魔の涎・追い求める男 他八篇 コルタサル短篇集　木村榮一訳
ペドロ・パラモ　ファン・ルルフォ　杉山・増田訳
伝奇集　J・L・ボルヘス　鼓直訳
完訳アンデルセン童話集 全七冊　大畑末吉訳
絵のない絵本　アンデルセン　大畑末吉訳
人形の家　イプセン　竹山道雄訳
ロボット（R・U・R）　チャペック　千野栄一訳
絞首台からのレポート　ユリウス・フチーク　栗栖継訳
完訳 千一夜物語 全十三冊　豊島・渡辺・佐藤・岡部訳
☆ルバイヤート　オマル・ハイヤーム　小川亮作訳

☆印の書目には、文庫版のほかに活字の大きいワイド版〔B6判、並製・カバー〕もあります

## 《ドイツ文学》

ニーベルンゲンの歌 全二冊　相良守峯訳
ティル・オイレンシュピーゲルの愉快ないたずら　阿部謹也訳
若きウェルテルの悩み　ゲーテ 竹山道雄訳
☆ファウスト 全二冊　ゲーテ 相良守峯訳
イタリア紀行 全三冊　ゲーテ 相良守峯訳
ほらふき男爵の冒険　ビュルガー編 新井皓士訳
牡猫ムルの人生観 全二冊　ホフマン 秋山六郎兵衛訳
ホフマン短篇集　池内紀編訳
水妖記（ウンディーネ）　フーケー 柴田治三郎訳
影をなくした男　シャミッソー 池内紀訳
完訳グリム童話集 全五冊　金田鬼一訳
ウィーンの辻音楽師 他一篇　グリルパルツァー 福田宏年訳
水晶 他三篇　シュティフター 手塚・藤村訳
みずうみ 他四篇　シュトルム 関泰祐訳
地霊・パンドラの箱 ―ルル二部作―　F・ヴェデキント 岩淵達治訳
マルテの手記　リルケ 望月市恵訳
ドゥイノの悲歌　リルケ 手塚富雄訳
ブッデンブローク家の人びと 全三冊　トーマス・マン 望月市恵訳
トニオ・クレエゲル　トオマス・マン 実吉捷郎訳
ヴェニスに死す　トオマス・マン 実吉捷郎訳
トオマス・マン短篇集　実吉捷郎訳
魔の山 全二冊　トーマス・マン 関・望月訳
ワイマルのロッテ 全二冊　トーマス・マン 望月市恵訳
講演集 ドイツとドイツ人 他五篇　トーマス・マン 青木順三訳
ゲーテとトルストイ　トーマス・マン 山崎・高橋訳
講演集 ゲーテを語る　トーマス・マン 山崎章甫訳
青春彷徨　ヘルマン・ヘッセ 関泰祐訳
車輪の下　ヘルマン・ヘッセ 実吉捷郎訳
青春はうるわし　ヘルマン・ヘッセ 関泰祐訳
デミアン　ヘルマン・ヘッセ 実吉捷郎訳
ジョゼフ・フーシェ　シュテファン・ツワイク 高橋・秋山訳
マリー・アントワネット 全二冊　シュテファン・ツワイク 高橋・秋山訳
変身 他一篇　カフカ 山下肇訳
審判　カフカ 辻瑆訳
カフカ短篇集　池内紀編訳
蝶の生活　シュナック 岡田朝雄訳
暴力批判論 他十篇 ―ベンヤミンの仕事1　ヴァルター・ベンヤミン 野村修編訳
ボードレール 他五篇 ―ベンヤミンの仕事2　ヴァルター・ベンヤミン 野村修編訳
三文オペラ　ブレヒト 千田是也訳
短篇集 死神とのインタヴュー　ノサック 神品芳夫訳
ウィーン世紀末文学選　池内紀編訳
果てしなき逃走　ヨーゼフ・ロート 平田達治訳
☆ドイツ名詩選　生野幸吉・檜山哲彦編
増補ドイツ文学案内　手塚富雄・神品芳夫

## 《フランス文学》

トリスタン・イズー物語　ベディエ編 佐藤輝夫訳
結婚十五の歓び　新倉俊一訳
☆エセー 全六冊　モンテーニュ 原二郎訳
☆ラ・ロシュフコー箴言集　二宮フサ訳
寓話 全二冊　ラ・フォンテーヌ 今野一雄訳

☆印の書目には、文庫版のほかに活字の大きいワイド版〔B6判、並製・カバー〕もあります

| 書名 | 著訳者 |
|---|---|
| ドン・ジュアン | モリエール 鈴木力衛訳 |
| 守銭奴 | モリエール 鈴木力衛訳 |
| フェードル アンドロマック | ラシーヌ 渡辺守章訳 |
| 完訳ペロー童話集 | 新倉朗子訳 |
| マノン・レスコー | アベ・プレヴォ 河盛好蔵訳 |
| ルソー告白 全三冊 | 桑原武夫訳 |
| 孤独な散歩者の夢想 | ルソー 今野一雄訳 |
| インカ帝国の滅亡 | マルモンテル 湟野ゆり子訳 |
| フィガロの結婚 | ボオマルシェエ 辰野隆訳 |
| 美味礼讃 全二冊 | ブリア-サヴァラン 関根・戸部訳 |
| 危険な関係 全二冊 | ラクロ 伊吹武彦訳 |
| アドルフ | コンスタン 大塚幸男訳 |
| 赤と黒 全二冊 | スタンダール 桑原・生島訳 |
| カストロの尼 他二篇 | スタンダール 桑原武夫訳 |
| パルムの僧院 全二冊 | スタンダール 生島遼一訳 |
| 恋愛論 全二冊 | スタンダール 前川堅市訳 |
| 知られざる傑作 他五篇 | バルザック 水野亮訳 |
| レ・ミゼラブル 全四冊 | ユーゴー 豊島与志雄訳 |
| 死刑囚最後の日 | ユーゴー 豊島与志雄訳 |
| ライン河幻想紀行 | ユーゴー 榊原晃三編訳 |
| モンテ・クリスト伯 全七冊 | デュマ 山内義雄訳 |
| 三銃士 全二冊 | デュマ 生島遼一訳 |
| カルメン | メリメ 杉捷夫訳 |
| 死霊の恋・ポンペイ夜話 他三篇 | ゴーチエ 田辺貞之助訳 |
| 愛の妖精（プチット・ファデット） | ジョルジュ・サンド 宮崎嶺雄訳 |
| 夜のガスパール —レンブラント、カロー風の幻想曲 | A・ベルトラン 及川茂訳 |
| ボオドレール 悪の華 | 鈴木信太郎訳 |
| オランダ絵画紀行 ベルギー —昔日の巨匠たち 全二冊 | フロマンタン 高橋裕子訳 |
| パリの憂愁 | ボードレール 福永武彦訳 |
| ボヴァリー夫人 全二冊 | フローベール 伊吹武彦訳 |
| 椿姫 | デュマ・フィス 吉村正一郎訳 |
| 風車小屋だより | ドーデー 桜田佐訳 |
| シルヴェストル・ボナールの罪 | アナトール・フランス 伊吹武彦訳 |
| 少年少女 | アナトール・フランス 三好達治訳 |
| ノア・ノア | ポール・ゴーガン 前川堅市訳 |
| 女の一生 | モーパッサン 杉捷夫訳 |
| 脂肪の塊 | モーパッサン 水野亮訳 |
| 地獄の季節 | ランボオ 小林秀雄訳 |
| 対訳ペレアスとメリザンド | メーテルランク 杉本秀太郎訳 |
| にんじん | ルナアル 岸田国士訳 |
| ぶどう畑のぶどう作り | ルナアル 岸田国士訳 |
| 死都ブリュージュ | ローデンバック 窪田般彌訳 |
| ジャン・クリストフ 全四冊 | ロマン・ローラン 豊島与志雄訳 |
| 魅せられたる魂 全五冊 | ロマン・ロラン 宮本正清訳 |
| ベートーヴェンの生涯 | ロマン・ロラン 片山敏彦訳 |
| ミケランジェロの生涯 | ロマン・ロラン 高田博厚訳 |
| シラノ・ド・ベルジュラック | ロスタン 辰野・鈴木訳 |
| 背徳者 | アンドレ・ジイド 川口篤訳 |
| 狭き門 | アンドレ・ジイド 川口篤訳 |
| 贋金つくり 全二冊 | アンドレ・ジイド 川口篤訳 |
| シェリ | コレット 工藤庸子訳 |

シェリの最後　コレット　工藤庸子訳
牝猫　コレット　工藤庸子訳
海の沈黙・星への歩み　ヴェルコール　河野・加藤訳
恐るべき子供たち　コクトー　鈴木力衛訳
ドルジェル伯の舞踏会　ラディゲ　鈴木力衛訳
シュルレアリスム宣言・溶ける魚　アンドレ・ブルトン　巖谷國士訳
フランス民話集　新倉朗子編訳
フランス短篇傑作選　山田稔編訳
増補フランス文学案内　渡辺一夫　鈴木力衛

《ロシア文学》

完訳クルイロフ寓話集　内海周平訳
オネーギン　プーシキン　池田健太郎訳
スペードの女王・ベールキン物語　プーシキン　神西清訳
ボリス・ゴドゥノフ　プーシキン　佐々木彰訳
狂人日記 他二篇　ゴーゴリ　横田瑞穂訳
検察官　ゴーゴリ　米川正夫訳
外套・鼻　ゴーゴリ　平井肇訳
ツルゲーネフ散文詩　神西清　池田健太郎訳
父と子　ツルゲーネフ　金子幸彦訳
初恋　ツルゲーネフ　米川正夫訳
二重人格　ドストエフスキー　小沼文彦訳
罪と罰 全三冊　ドストエフスキイ　中村白葉訳
白痴 全二冊　ドストエフスキイ　米川正夫訳
カラマーゾフの兄弟 全四冊　ドストエーフスキイ　米川正夫訳
あかい花 他四篇　ガルシン　神西清訳
戦争と平和 全四冊　トルストイ　米川正夫訳
アンナ・カレーニナ 全三冊　トルストイ　中村融訳
民話集 人はなんで生きるか 他四篇　トルストイ　中村白葉訳
民話集 イワンのばか 他八篇　トルストイ　中村白葉訳
イワン・イリッチの死　トルストイ　米川正夫訳
光あるうちに光の中を歩め　トルストイ　米川正夫訳
復活 全二冊　トルストイ　中村白葉訳
人生論　トルストイ　中村融訳
可愛い女・犬を連れた奥さん 他一篇　チェーホフ　神西清訳
退屈な話・六号病室　チェーホフ　湯浅芳子訳
桜の園　チェーホフ　湯浅芳子訳
どん底　ゴーリキイ　中村白葉訳
追憶 全二冊　ゴーリキイ　湯浅芳子訳
ゴーリキー短篇集　上田進　横田瑞穂訳
文学と革命 全二冊　トロツキイ　桑野隆訳
われら　ザミャーチン　川端香男里訳
プラトーノフ作品集　原卓也訳
ソルジェニーツィン短篇集　木村浩編訳
ロシヤ文学案内　金子幸彦

1994. 12.